KB196489

앱
스토리

벤처캐피털이 먼저 찾는 **스타앱** CEO 6인에게 듣는다

앱 스토리

벤처캐피털이 먼저 찾는 **스타앱** CEO **6인** 에게 듣는다

김관식 지음

목차

3 스마트한 앱 포털, 제대로 알려드립니다! 팟게이트

오드엠 박무순 대표

4 백만 달러 사나이 이야기 i사진폴더
인사이트미디어 유정원 대표

5 세계가 집중하는
스마트한 인공지능 서비스 심심이
심심이주식회사 최정회 대표

6 전 세계 어린이를 향한
아버지의 마음으로 옆집아이

퍼블스튜디오 이해원 대표

세상이 바뀔 때 내게 기회가 온다

2000년대 초와는 확연히 다른 오늘날 창업 분위기

2012년 5월초, 광화문 KT플라자에서 고벤처Go Venture 포럼이 열렸다. 미래를 위한 인사이트를 키우고자 참가했다는 스무 살 남짓의 대학생부터 이제 막 사업을 시작한 젊은 기업인, 주부, 재능을 기부하고자 한 변리사, 엔젤 투자자 등 다양한 목적을 가진 300여 명이 참석한 자리였다. 행사 말미에 참가자들 전원이 차례대로 약 10초간 자기를 소개하는 시간이 주어졌다. 어쩌면 자신의 인생을 송두리째 바꿔놓을 수도 있는 순간이었기 때문일까? 모두 진지하면서도 위트를 살려가며 자신을 소개했다. 그들의 눈은 인생에서 이처럼 진지한 순간이 또 있을까 싶을 정도로 반짝반짝 빛나고 있었다.

  그들의 모습에서 2000년대 초반을 떠올렸다. 벤처사업은 IT 창업 붐이 일던 당시 신랑 후보 1순위로 꼽힐 정도로 유망 직종이었다. 그러나 정부와 기업 모두 '벤처! 벤처!' 하고 외치기만 했을 뿐, 정보나 네트워킹의 기반은 마련되지 않았다. 마치 브레이크 없는 가속페달처

럼 질주하기만 했을 뿐이다. 그러다가 거품이 가라앉았다. 길거리에
는 실업자들이 넘쳐나고 신용불량자가 양산됐다. 여러 가지 요인이
있었겠지만 사업 초기 누구나 겪을 수 있는 문제에 효과적으로 대처
하지 못했던 것이 가장 뼈아픈 실책이었을 것이다. 더구나 실패를 거
울삼아 성공적인 벤처로 이어갈 정보와 노하우가 공유되지 못한 채
아까운 기회는 사라졌다.

필자의 직업이 기자인 탓에 그동안 많은 앱 개발자를 만날 기회가
있었다. 주위의 앱 개발자 대부분이 CEO로 겸직하고 있는데, 10명
중 8~9명은 국내 굴지의 대기업이나 네이버, 다음, 야후, 구글 등 대형
포털에 다니다가 독립한 이들이다.

안정된 직장을 박차고 나와 창업한 그들의 모습을 보면서 이들의
경험을 또다시 사장시켜서는 안 된다는 생각이 들었다. 그들이 겪었
던 많은 일과 이슈, 트렌드, 성공좌표, 인간관계, 창업과정, 비전 등을
창업을 희망하는 후배들에게 있는 모습 그대로 알려주면 어떨까 하는
생각을 했다. 기술이나 코딩, 개발에 관한 조언도 좋지만 기본적으로
창업을 이루고, 뜻이 맞는 이들을 채용하고, 서서히 규모가 갖춰지면
벤처캐피털 투자를 받는 등 기업으로서의 면모를 갖춰가는 일련의 과
정을 알려주면 어떨까? 개발자가 자신에게 감춰진 재능과 감각을 어
떻게 세상 밖으로 이끌어내고, 입체적으로 꿈을 펼쳐갈 수 있는 CEO
로 성장하는 과정, 그것이야말로 알짜배기 창업 지침서일 것이다.

필자는 무조건 성공하는 방법, 실패를 하지 않고 비껴가는 방법,
대박 나는 법, 성공 마케팅 노하우 같은 도선비기는 잘 모른다. 하지
만 어떻게 하면 세 번의 실패를 두 번으로 줄일 수 있을지, 실패를
어떻게 교훈으로 바꿔 거울로 삼을 수 있을지, 창업 초기 어떤 면을
갖추고 어느 부분에 특히 중점을 둬야 하는지에 대한 현장 사례는

충분히 전달할 수 있다. 물고기 잡는 법만 알려주되, 물고기는 독자 스스로 잡아야 하는 것이다.

6개의 기업을 선정할 때 다양한 분야의 스타앱 가운데서 지속 성장이 가능한 기업들을 선정했다. 국내 앱 시장은 2년이라는 짧은 기간 동안 다른 국가들에 비해 빠르게 변화했다. 혹자는 이미 앱 시장이 성숙했다고 하고 "무수한 앱이 아닌 상위 30개 앱과 경쟁한다고 생각해도 좋다"라고 말할 정도로 차별화와 경쟁력을 강조한다.

2011년에는 모바일 애플리케이션의 수요가 정체되고 공급이 넘쳐나기 시작했다. 때문에 앱 시장의 성공과 실패가 더욱 명확해졌다. 이전까지는 기술력과 디자인이 우선이었지만 점차 기업으로서의 성장 가능성과 외국어 활용 여부, 비즈니스 마인드, 트렌드와 시장성을 담보한 기술, 최고의 효과를 이뤄낼 수 있는 인적 구성, 글로벌 시장에 적시에 안착할 수 있는 시의성을 확보한 앱 개발사들이 살아남는 모습을 보였다.

이제 이것마저도 또 다른 움직임을 보이고 있다. 여타 앱과 연동할 수 있는 기능적인 부분이나 추가 비즈니스 상품 창출 여부, 타 기업과의 협업과 연계성, 대기업이나 글로벌 기업과의 인수와 합병 등을 감안한 넥스트 비즈니스 실행력과 SNS 마케팅, 플랫폼 전략을 쥔 개발사들이 살아남을 확률이 더욱 높아지고 있다.

최첨단 디지털 찌라시를 표방한 '배달의 민족'은 지역 소상공인을 위한 스마트폰 로컬광고를 현실화했다. 여기에서 멈추지 않고 소상공인들만을 위한 플랫폼 전략을 꿈꾸고 있다.

증강현실AR로 사람을 이어주는 '오브제'는 사람과 사람이 아닌 장소와 사람의 팔로우를 통한 개념으로 훗날 데이터가 쌓이고 쌓여 인류의 문화유산의 한 축으로 자리매김할 것으로 기대하고 있다.

앱 포털계의 네이버라 불리는 '팟게이트'는 앱 개발사라면 한 번쯤 거쳐야 하는 관문으로 성장했다. 개발사와 사용자 간 커뮤니케이션이 쉽지 않은데, 그 대화의 장을 특색 있게 조성하여 다양한 이벤트로 플랫폼을 다지고 있다.

또 하나 빼놓을 수 없는 부분이 있다. 바로 사용자와의 꾸준한 커뮤니케이션이다. 앱을 소비하는 사용자도 앱을 스스로 찾아 골라 받기보다는, 추천이나 리뷰를 통해 내려받는 경향이 더욱 강해졌다. 덧붙여 개발사의 성의 있는 대응과 업데이트도 주의 깊게 지켜본다. 이를 불편하게 여길 필요는 없다. 사용자들이 공짜로 앱 서비스 발전을 위해 여러모로 도와주고 있다고 생각하면 그뿐이다.

사실 이 책을 쓰기 전부터 필자가 줄곧 고민했던 점이 있다. 바로 스타트업 창업에서 상품 자체를 중심으로 넥스트 비즈니스 차원으로 접근할 것인지, 아니면 스타트업 기업의 시작과 성장과정과 미래를 세밀히 조명할 것인지에 대한 부분이었다. 문제는 그 어떤 주제로 접근을 하든지 창업 과정에서 누구나 맞닥뜨릴 수 있는 부분, 예를 들면 창업 관련 지원 여부나 인원문제, 창업 장소, 사용자와의 커뮤니케이션, 벤처캐피털의 투자 여부, 시장성, CEO 마인드, 사내 복지, 관련 업계 모임, 인수제의 현황, SI 업무 등 관련 사안에 대해 사실적으로 접근하는 것이 우선이라고 생각했다. 또한 천편일률적인 사업전략에서 차별화할 필요성을 하나라도 찾아내고자 했고, 규모별 사업전략도 담고자 했다. 이채롭게도 6개 기업 대부분 2011년 매출로 15억여 원, 2012년 매출로 30억여 원 내외를 기대하고 있었다. 그리고 향후 예상 매출도 비슷했다.

자금 면에서도 6개 업체 모두 여유가 있었다. 스타트업 초기 파워 모터가 될 벤처캐피털 투자를 받은 곳도 있고, 필요성을 느끼지 못

하는 곳도 있었다. 시장에 뛰어들어 단계별 업그레이드가 필요하다는 판단이 들면 투자를 받는 것도 좋다는 대답부터 굳이 새로운 사업영역으로의 확장 계획이 없거나 기존 사업을 더욱 탄탄하게 다지기 위해 받을 생각이 없다는 대답도 있었다. 이에 대해 대표들마다 다양한 견해를 들어보는 것도 색다른 조언이 될 듯싶다.

변화 중인 IT 생태계는 또 한 번의 기회

여기서 한 가지 독자와 함께 체크해야 할 점이 있다면, 바로 이 업체들은 2007년 아이폰이 처음 미국에서 유통되고, 2008년 일본에서 급속히 시장을 장악하는 모습을 보이자 모두 한결같이 시장의 기회를 엿봤다는 점이다. 그리고 그 기회를 놓치지 않았다.

전 세계 언론이 한국을 IT 강국으로 주목하고 있다고들 한다. 그러나 솔직히 다른 글로벌 기업 CEO나 외국 인사를 만난 자리에서 우리나라가 IT 강국이라는 말을 직접 들을 수 없었다. 구글의 에릭 슈미트 회장, 구글 음성검색을 담당하는 총괄 기술자인 마이크 슈스터, 에버노트 필 리빈 CEO, 일본온라인게임협회 가와구치 요지 회장 등을 만나봤지만 원하는 대답은 들을 수 없었다. 다만 한국 IT 기술은 세계적이고, 뛰어난 인프라를 갖췄고, 무궁한 가능성이 있으며, 트렌드에 민감해 세계가 예의주시하고 있다는 정도였다.

이 사실은 무엇을 의미하는 것일까? 개개인이 시장을 바라보는 것과 달리 한국의 대기업들은 변화된 혹은 변화될 시장에 상대적으로 둔감하다. 여전히 하드웨어 시장 중심이다. 소비자의 편의를 위한 '절대고민'이나 '창의성'은 전무하다. 시장을 통째로 먹을 수 있는 플랫폼 개념에 대해 크게 반응하지 않는다. 굴뚝산업 시대의 사업전략을 버리지 못하는 습성을 가지고 있는 것이다. 이 역시 기득권이라고 생각하는지도 모르겠다. 왜 소니가 쓰러지고, 노키아가 주춤할 수밖에 없었는가? 왜 MS가 뒤늦게 스마트폰 시장에 뛰어들 수밖에 없었는지, 검색의 왕자였던 구글이 어떤 혜안으로 OS시장에서 애플과 경쟁하는지, 페이스북이 왜 천문학적 거금을 주고 인스타그램을 인수했는지를 생각해봐야 한다. 그 사이 국내 시장과 소비자는 외국 기업이 잠식한 앱 시장에서 중독되고 있다고 해도 과언이 아니다.

한 IT 전문가는 아이팟과 앱스토어 등장 이후 국내에서도 플랫폼 기반의 커뮤니티가 향후 IT 시장의 판도를 좌우할 것이라는 지적을 매체에 숱하게 쏟아냈지만 정부나 대기업 모두 귀 기울이지 않았다며 "아이폰발 스마트폰 빅뱅은 갑자기 생긴 천재지변이 아니다"라고 했다. 국가 기간산업을 리드하는 대기업의 안목은 심각한 수준이다.

아이폰발 스마트폰 빅뱅이 가져온 다행스러운 변화를 꼽자면 이제 국내 모바일 산업에서도 '플랫폼 - 개발자 - 소비자'를 잇는 건전한 생태계가 조성되고 있다는 점이다. 그리고 누구든지 이 시장에 뛰어들어 무한경쟁을 시도할 수 있다. 또 중소벤처와의 기술협력과 붕괴됐던 무선인터넷 서비스 생태계 복원에 이제나마 국내 이통사들도 몸소 나서게 된 계기가 됐다는 점이다. 그만큼 국가 간 플랫폼 경계도 퇴색돼 글로벌 시장을 마음껏 농락할 수 있는 기회의 장도 마련된 것이다.

스타트업은 지금이 적기다. 규제가 예전에 비해 많이 사라졌기 때문이다. 과거에는 소프트웨어나 관련 서비스를 개발해야 한다고 했을 때 누군가의 허락을 받는 절차를 거쳐야 했다. 하지만 지금의 플랫폼에서는 자신이 원하는 대로 마음껏 서비스를 창출할 수 있다. 엄밀히 말하자면 성공의 요람인 실리콘밸리도 사실은 '실패의 요람'의 성격이 짙다. 성공하는 벤처는 불과 1~2%밖에 되지 않는다. 문제는 실리콘밸리는 10번을 실패하고 한 번 성공하면 영웅이 되는 반면, 국내는 잘나

가다가 한 번 실패하면 실패자로 낙인이 찍힌다는 사실이다. 2000년 대 초기 벤처 트라우마 때문인지 요즘에는 스타트업이라는 용어를 쓰고 있을 정도다.

실리콘밸리에서 실패에 대한 관대함은 심오한 철학을 담고 있다. '변화란 불가피한 것이며 변화의 세계에서 우리가 통제할 수 있는 것은 거의 없다'라는 철학이다. 위험 부담에 신경이 쓰여 아무 결정도 못 내리는 사람들이 있다. 아무리 똑똑해도 도저히 통제할 수 없는 위험이 60~70%에 달한다. 실리콘밸리에서는 실패의 가능성을 최소화하거나 없애기 위해 위험 수위를 조절하기보다는 성공 가능성을 극대화하는 데 초점을 맞춘다. 순풍만 불어온다면 제대로 항해하지 못할 사람이 누구겠는가? 맞바람을 맞으며 물이 새는 배를 타고 음식과 마실 물도 없이 험난한 파도와 강풍을 헤쳐나가야 하는 게 벤처기업의 숙명이기도 할 것이다.

실리콘밸리의 벤처캐피털이 벤처기업의 사업계획서를 보고 대놓고 "아니다"라고 말하는 경우는 매우 드물다. '솔직하게 거절하지 않는 것'이 벤처캐피털의 특징이기도 하다. 이번에 실패하더라도 다음 번에 크게 터질지 모르니 늘 협상의 여지를 만들어놓는 것이다. 제2의 애플이나 페이스북이 되지 말라는 법이 없기 때문이다.

실패를 두려워하지 말자. 오늘이 내 인생 중 가장 젊은 하루라고 하지 않던가? 이 책에서 얻은 지식을 100% 따른다 해도 성공한다는 보장은 없다. 다만, 여기에 쏟아낸 무수한 이야기 중 하나만이라도 자신의 것으로 만들 수 있다면 더 없는 재산이 될 것이다. 누구나 마크 저커버그가 되라는 말은 아니지만, 아무나 마크 저커버그처럼 될 수도 없다. 그 앞에는 '도전'이라는 단어가 공식처럼 따라다니기 때문이다.

스티브 잡스가 펩시콜라의 CEO인 존 스컬리에게 러브콜을 보내며 이런 말을 했다. "평생토록 설탕물만 팔며 살고 싶습니까? 아니면 세상을 바꾸고 싶습니까?" 당신이 어떤 선택을 하든 그건 고스란히 당신 몫이다.

1

What보다 How,
스마트한 최첨단 찌라시
배달의민족

우아한형제들 김봉진 대표

김광수 CTO(왼쪽)와 김봉진 대표(오른쪽)
김봉진 대표는 국민대학교 디자인대학원 휴학 중이다. 디지털 대행사 이모션, 네오위즈,
NHN 브랜드마케팅 디자이너를 거쳤다. 나이키 코리아, 현대카드 등 국내 유수 대기업 사이
트 아트디렉터로서 활동했다. 한국경제신문 선정 2011 떠오르는 벤처스타 CEO 16인. 2003년
및 2004년 뉴욕광고제 파이널리스트.

요리하기 귀찮거나 출출할 때마다 생각나는 배달음식의 유혹. 그 유혹은 현관문이나 냉장고에 덕지덕지 붙은 소위 말하는 배달음식 '찌라시'로부터 시작된다. 그러나 스마트한 시대를 살고 있는 우리에게 더 이상 찌라시를 살펴보며 뭘 먹을까 고민하지 않게 해준 고마운 앱, '배달의민족'이 있다. 배달의민족은 편리하고 쉽게 스마트폰으로 배달업소를 찾아준다. 사실 현관문과 냉장고에 덕지덕지 붙어 있는 전단지 관리도 힘들뿐더러 뭘 배달해 먹을지도 난감하기 일쑤였다. 그러나 수많은 전단지를 스마트폰 속으로 밀어넣어 사용자의 위치를 기반으로 검색되는 배달업소를 한 번의 터치만으로 선택하여 언제든지 원할 때 음식을 배달해 먹을 수 있다.

이 앱을 반기는 것은 비단 사용자뿐만이 아니다. 배달음식 업체 또한 배달의민족 앱에 업체 등록을 한 후로 크고 작은 광고효과를 볼 수 있다. 간단히 업체 등록을 했을 뿐인데 곧 매출 증대로 이어진다. 업체로 전화가 걸려오면 "배달의민족에서 걸려온 전화입니다" 하는 안내멘트가 나온다. 적게는 하루 3건에서 평균 5~10통 정도의 매출로 이어진다. 업체 사장은 소비자가 남긴 리뷰를 보면서 서비스 개선에 힘쓸 수 있고 배달음식의 편견을 깰 수 있는 기회로 삼을 수 있다. 뿐만 아니라 전단제작과 배포비의 약 10% 정도의 비용으로 광고비를 절감하는 효과도 있어 소비자, 업체, 사회적 측면 등 세 가지로 긍정적인 반향을 불러일으키고 있다.

이미 레드오션이라고 불러도 무방한 앱 시장의 치열한 경쟁 속에서도 생활밀착형 아이템을 선택하여 연매출 60억 원을 바라볼 정도로 시장성을 확보한 우아한형제들을 소개한다.

다운로드 400만, 등록된 업체 12만여 곳

현대인에게 가장 난감하고 당황스러운 일 세 가지를 꼽자면 스마트폰을 분실했을 때, 짜장면과 짬뽕을 사이에 두고 갈등할 때, 그리고 출출할 때 전단지가 없는 경우가 아닐까? 동네에서 쉽게 눈에 띄는 수많은 전단지를 하나의 플랫폼을 통해 스마트폰으로 서비스하는 첨단 디지털 찌라시의 등장, 그것이 바로 배달의민족 앱이다.

배달의민족은 서드 스크린 시대에 맞춰 배달 업체와 소비자를 연결하는 하나의 '플랫폼'이다. 개발사인 우아한형제들의 김봉진 대표는 "배달의민족 앱이야말로 소비자는 양질의 정보를 언제 어디서든 편리하게 이용하고 배달 업체는 광고비 절감과 수익을 낼 수 있는 윈윈 모델"이라며 "후발 경쟁사가 생겨날 것을 대비해 개발 당시부터 디자인과 브랜딩 구축에 신경 썼다"라고 강조한다.

배달의민족은 LBS Location Based Service(위치기반서비스)를 통해 사용자의 인근 배달 가능한 업체를 보여주고 즉시 전화연결이 가능하도록 했다. 배달의민족은 어떻게 시장에 진입할 수 있었고 등록한 지역 업체만 12만여 곳, 다운로드 400만 건을 기록할 수 있었을까? 김봉진 대표는 그 비결로 '사용자 간의 활발한 참여'를 꼽았다. 사용자 참여야말로 획기적인 아이템만 뒷받침된다면 오래도록 롱런할 수 있는 밑거름이 되는 요소이기 때문이다.

배달의민족은 사용자의 참여가 활발하다. 업소에 대한 배달정보, 위생상태, 맛, 시간 등 실시간으로 올라오는 다양한 리뷰와 최신정보 등록요청 등이 매일 쌓여 하나의 데이터베이스가 되는 것이다. 사용자가 직접 등록할 수 있도록 플랫폼을 개방하니 한 달에 몇 천 건씩 업체 정보가 올라온다. 그만큼 살아 있는 데이터이다 보니 포털이나

114에도 없는 최신정보를 가질 수 있게 되는 것이다.

　김봉진 대표는 '배달'이라는 접두어가 붙는 모든 것을 담을 수 있는 플랫폼을 꿈꿨다. 이를 다양한 비즈니스 영역으로 확장할 계획을 갖고 있었지만 처음 배달의민족을 시작할 때만 해도 여느 개발자와 마찬가지로 시장의 안착이 최우선이었다. 사업은 시작했지만 막연한 상황에서 언제 수입이 생길지도 모르는 불안함에 하루하루를 신용카드 한 장으로 버텨야 했던 시간이 지속되기도 했다. 처음부터 큰돈으로 시작한 사업이 아니었기에 반듯한 사무실과 전화기, 책상을 기대할 수도 없었다. 다만 '과연 내가 이 일을 계속해도 될까?' 하는 두려움의 나날이었다. 사업 초기 사무실을 얻지 못해 회사 근처 테이크아웃 커피전문점에서 노트북을 올려놓고 일을 시작했지만 모니터에는 가족의 얼굴이 더 아른거렸던 시간들이 지금도 멀지 않게 느껴진다는 김 대표다.

　그런 절실함 때문에 김봉진 대표는 어느 상황에서도 긴장을 늦추지 않는다. 한 예로 그의 사무실 벽에는 항상 각종 시장분석 데이터와 정보가 그래프로 직원 모두가 공유할 수 있도록 붙어 있다. 벽에 부착된 데이터와 정보는 실시간 데이터다. 직원들은 그 데이터를 통해 자신들의 위치에서 어느 부분에 더 집중하고, 마케팅해야 할지를 판단할 수 있는 안목을 기른다. 바쁜 일정에 시장조사를 해야 하는 시간의 낭비를 줄일 수 있고, 우아한형제들의 직원 모두가 능동적으로 변할 수 있는 계기를 마련해준다. 사실 우아한형제들은 이름처럼 우아한 서비스보다는 과감한 패러디와 함께 의도적인 저급함과 싸구려를 지향하는 생활밀착형 서비스를 지향한다. 사용자 간의 활발한 참여를 비롯하여 실시간으로 업데이트되는 시장방향과 전략, 이것이야말로 김봉진 대표가 추구하는 '우아함'일 것이다.

배달의민족은 우여곡절 끝에 2010년 7월 첫 앱을 출시한 이후 앱스토어 출시 이틀 만에 1위를 달성했다. 정확히 1년 6개월 뒤 다운로드 400만 건을 기록하며 아이폰 사용자 3명 중 1명이 내려받을 정도로 인기 있는 '베스트셀러 애플리케이션'이다. 이미 등록된 지역 업소만도 12만여 곳에 이를 정도로 성장했다. 앱 상단에 노출되는 월 3만 원의 광고상품을 희망하는 업체도 이미 1만 3천여 곳이 넘어섰다. 3억 원의 또 다른 잠재매출이 대기 중인 것이다. 색다른 발상이 실제 수익으로 이어지고 있는 셈이다. 창업 1년여 만에 네이버와 다음, 114보다 더 많은 데이터베이스를 구축했다. 2012년 연매출 60억 원 돌파도 거뜬해 보인다.

배달의민족의 진가는 설 명절에 유감없이 발휘되었다. 2011년 날짜별 배달의민족 통화서비스 이용을 분석한 결과, 명절 연휴의 마지막 날 우리나라 사람들이 배달음식을 가장 많이 시켜 먹은 것으로 나타났다. 평일 평균 주문통화 건이 약 2만 5천 건인 데 비해 명절 연휴 마지막 날의 경우 이보다 3배 많은 양의 주문이 있었던 것이다. 외국인이 한국에서 가장 신기해하는 것 중 하나가 '배달' 서비스다. 한국에서 '배달' 하면 떠오르는 다양한 메뉴와 신속한 서비스를 이미 국민의 반 이상이 소유했다는 스마트폰에 연결시켜 역시 한국이 '배달(?)의 민족'임을 입증한 셈이다.

한편, 우아한형제들에게 전문투자 벤처캐피털의 두 차례 투자가 있었는데 먼저 본엔젤스벤처파트너스가 배달의민족에 2011년 4월과 7월, 각각 1억 5천만 원씩 총 3억 원을 투자했다. 본엔젤스는 네오위즈 창업자 출신의 장병규 대표가 설립한 전문 투자사로서 2011년 4월 공식 출범 이후 엔써즈, 틱톡, 스픽케어 씽크리얼스, 엘타임게임즈, 지노게임즈 등 알토란 같은 IT 기업에 투자해 주가를 높이고 있는 기업이다. 이어 2012년 4월에는 실리콘밸리 벤처캐피털인 알토스벤처스(쿠팡, 판도라TV, 이음 등 투자)와 국내 소셜커머스 1위 기업인 티켓몬스터의 투자사였던 스톤브릿지가 합작으로 20억 원을 투자하기로 결정했다. 스마트폰 열풍으로 현재 모바일 창업 시장에는 수많은 투자가가 가능성 있는 벤처기업들을 시작 초기에 발굴하여 수익모델로 커갈 수 있도록 지원하고 있다. 이런 상황에서 배달의민족은 안팎으로 탄력을 받고 있다.

대기업과 포털도 정복 못 한 로컬광고 시장, 접수하다

처음부터 허황된 꿈을 품고 시작한 사업일수록 기대에서 조금만 어긋나면 크게 좌절할 수 있다. 더군다나 IT 시장에서의 창업이라면 많은 편견과 선입견, 다양한 반응과 마주해야 한다. 하루가 다르게 변하는 디지털 트렌드도 하루하루 신경 쓰이기는 마찬가지다. 안철수 교수도 안철수연구소 설립과정에서 "무료로 제공하는 프로그램인데 무슨 연구소가 필요합니까?"라는 말을 들었다는데 그 심정이란 오죽했을까?

당시 안 교수가 가장 답답해했던 것은 의사결정권을 가진 사람들이 컴퓨터를 몰라도 너무 모른다는 사실이었다고 한다. 컴퓨터 바이러스를 막을 수 있는 백신이 정보강국으로 가는 데 얼마나 중요한 문제인지를 간과하고 있다는 생각 때문이었다. 한 독지가가 그를 후원하겠다고 나섰다 뜻대로 되지 않았지만, 결국 안철수연구소는 편견과 기술력, 핵심가치로 세계 최고의 보안회사로 거듭났다.

김봉진 대표 역시 보통 창업자처럼 '없이' 시작했다. 그리고 주위의 편견과 싸웠다. '애플리케이션 개발사는 빨리빨리 만들고 야근을 밥

먹듯 한다' '1인 기업이 잘되면 얼마나 잘되겠냐?' '다음엔 어떤 것을 개발해 팔 거냐?' '잘되더라도 대기업에서 시장에 뛰어들 텐데 어떻게 버틸 건가?' 등 만나는 사람마다 걱정 아닌 걱정을 하기도 했다. 더군다나 자신 역시 10년 넘게 디자인과 마케팅 업무에만 주력했던 터라 애플리케이션이 뭔지, 어떻게 꾸며야 할지, 어떤 기술을 녹여내야 할지 막연했다.

김봉진 대표는 그때나 지금이나 변함없이 욕심이 없다. 지금도 그가 배달의민족 하나만 밀고 나갈 생각이라고 재차 이야기해도 아무도 믿지 않는다. 다른 개발사처럼 SI 업무를 할 생각은 더더욱 없다. 그는 박리다매로 일회성 앱을 만들지 않겠다고 단호하게 말한다. 무엇보다 앱 시장을 작게 내다보고 내뱉는 말이 싫다고 항변한다. 앱 시장도 개발에만 그쳐 사용자의 다운로드만 기댈 것이 아니라 제2, 제3의 마케팅을 통해 얼마든지 기업으로 키울 포부를 밝힌다. 그것이 곧 그가 생각하는 '사업'이다.

그는 먼저 앱에 대한 밑그림을 그리기로 했다. 당시 다른 것은 몰라도 아이폰이 세상을 어떻게 바꿀지 기사와 매체를 통해 많이 봐왔던 터라 신기했던 동시에 궁금했고, 스마트폰이 잘 팔리면 그 이후 세상은 어떻게 변할지 직접 나서고 싶었다.

그의 눈에는 다른 건 보이지 않았다. 스마트폰 하나에 전화기와 PC가 들어 있어 여러 가지를 가능하게 할 것이라는 생각만 들었다. 스마트폰 하나로 또 다른 경제활동이 이뤄질 것이라는 확신이 든 것이다. 처음에는 '114' 앱을 만들 생각이었단다. 요즘에는 114에 전화하면 문자로 해당업체 번호를 찍어주지만 번거롭다. 일일이 물어보지 않고 바로 검색하여 메모할 수 있는 기술로 간단하고 빠르게 한 번의 터치로 해결할 수 있으면 좋겠다는 생각으로 시작되었다. 단순한 기술이지만 사용자 중심의 라이프스타일을 편리하게 개선해준다는 확신이 들었다.

그러나 과정은 순탄치 않았다. 114에서 업체 데이터를 얻는 것이 급선무였는데 하늘의 별 따기였다. KT에서 열어준다던 API는 깜깜무소식이었고 고객센터에 재차 문의전화를 하며 따지기도 했지만 여의치 않았다. 그러던 그에게 문득 포털 사이트에서 검색한 업체에 직접 전화를 걸어보자는 생각이 뇌리를 스쳤다. 의외의 결과였다. 대부분의 등록된 전화번호가 맞지 않았던 것이다. 이미 폐업했거나 상호가 변경된 업체도 부지기수였다. 순간 이 영역은 대기업이 나서야 한다는 생각에 포기하려는 생각도 들었다. 그는 친형 김광수와 현재 서비스고도화 팀장을 맡고 있는 고대현에게 손을 내밀게 된다. 이후 이들과 함께 현재의 배달의민족의 시초가 되는 먹거리 전화번호 수집부터 나서게 된다.

그런데 왜 먹거리부터 선택했을까? 스마트폰이 생활 전반에 끼치는 영향이 생각 이상으로 큰 것을 감안했기 때문이다. 스마트폰 사용자는 항상 손에 쥐고 있으면서 뭔가를 읽고 보고 검색한다. 그중에서 음식배달이야말로 경제활동이 가장 활발할 것으로 판단했고 그만큼 가능성도 열려 있다고 생각했다. 김봉진 대표는 '평생에 이런 기회가 또 있을까?' 하는 생각이 들었다. 확실한 아이템을 찾으니 마음이 급해진 그는 검색한 전화번호에 문제가 많다고 판단하여 바로 음식점, 그중에서도 비교적 쉽고 정확하게 자료를 쌓을 수 있는 프랜차이즈를 겨냥해 일을 추진했다.

그들의 발품으로 이 앱은 소비자의 일차원적인 불편함을 해소했다. 국내 배달음식 시장은 무려 10조원 이상에 달한다. 김 대표는 이를 감각적으로 알아차리고 더 빠른 시장진입을 위해 서두른 것이다. 1년

이 지나 2011년 9월, 배달의민족이 로컬광고 시장에 가능성을 보였던 그 시점에 NHN과 KT가 합작한 지역광고 사업 회사인 칸커뮤니케이션즈가 출범했고, 이어 10월에는 SK텔레콤에서 분사한 SK플래닛도 온라인 종합광고사업을 주력사업으로 시장에 뛰어들었다. 또 2011년 9월에는 구글이 레스토랑 리뷰 업체인 자갓 서베이Zagat Survey를 1억 2500만 달러(한화 약 1350억 원)에 인수해 그동안 구글이 꾸준하게 추진했던 로컬광고 시장(구글지도, 스트리트뷰, Favorite Place, 지역광고 BM 등) 활성화에 불씨를 당겼다.

자갓 서베이는 당시 서비스를 웹과 모바일 기반으로 연동해 포스퀘어, 옐프 등과 치열한 경쟁을 이어왔다. 그런 의미에서 구글의 이번 자갓 서베이 인수는 구글을 비롯한 대기업이 로컬광고 시장에 대해 어떤 의미로 다가서고 있는지 충분히 알 수 있는 사례. 이 모든 것이 로컬광고의 또 다른 가능성을 알리는 신호탄이 되었다. 미국 시장만 봐도 로컬광고는 현재 전체 광고 시장의 39%인 1030억 달러에 달한다. 이를 빠르게 눈치챈 미국의 언론사와 온라인 기업은 이 시장에 일찌감치 뛰어들었다.

우리나라의 경우는 앞에서 언급한 114와 포털 사이트 사례에서 보듯, 배달의민족이 본격적으로 시장에 뛰어들기 전에는 로컬광고 시장의 모바일화는 어떤 기업의 메인 정책에도 끼지 않았다. 하지만 이제는 대기업들이 다양한 모습으로 시장으로의 진입을 꾀하고 있다. 여전히 로컬광고 시장은 네이버와 다음이 연간 100억 원 가량의 매출을 기록하고 있지만 이것은 PC 시장일 뿐, 본격적인 모바일 성장과 함께 뜨거운 경쟁이 예고되고 있다. 모바일과 스마트폰에 부착된 GPS는 말 그대로 찰떡궁합이기 때문이다.

창업, 가장 가까운 사람부터 설득하기

늘 하나의 제품이 대박을 치면 뒤이어 미투제품이 출시되기 나름이다. 먹거리, 제품, 타는 것, 입는 것도 늘 유사제품과 원조가 경쟁해야하고 설사 원조가 시장을 리드한다 하더라도 얼마든지 또 다른 대기업이 시장에 뛰어들 수 있다. 배달의민족도 마찬가지다.

얼마 지나지 않아 유사 앱이 출시되기 시작했다. 지금이야 생각을 달리하지만 김 대표가 당시만 해도 대기업이 이 시장의 정확성 때문에 진입이 어려울 것으로 판단한 이유는, 정보를 모으는 모든 과정이 소위 말하는 '노가다'였기 때문이다. 이러한 일을 주관하는 대기업과 하청업체 간 신뢰구축은 쉽지 않았다. 김 대표는 지금은 상황에 따라 다르게 판단하고 있지만 시장을 유리하게 이끌 것으로 자신한다.

어떤 서비스든 가장 중요한 것은 만든 사람의 철학과 가치관, 생각과 정성이다. 가장 먼저 이 서비스를 누가 왜 하는지가 그대로 묻어나야 한다. 사용자는 그런 진정성을 알아주기 마련이다. 김봉진 대표는 처음부터 브랜딩과 마케팅에 그러한 진정성을 하나하나 녹이고자 했다. 대기업도 이 시장에 뛰어들고, 유사 앱이 지속적으로 출시되고 있지만 그는 자신감을 내비친다. 경쟁사들은 기본적으로 자신들이 세우고자 하는 기본 취지와 전략 없이 무조건 따라 하는 실수를 범한다. 그는 이것이 앞으로도 치고 나갈 수 있는 원동력이 되어준다고 한다. 사용자를 사로잡을 수 있는 위트와 과감한 일러스트는 단순히 재미있게 하자고 시작한 것이 아니라 앞뒤로 여러 생각과 의미가 담긴 포석이었던 것이다. 아무도 따라 할 수 없는 배달의민족이 가진 특별한 매력인 셈이다.

친형인 김광수 CTO는 김봉진 대표의 이러한 가치관을 존중했다.

동생의 가치관을 그대로 믿고 따랐다. 김광수 CTO는 4형제 중 막내인 김봉진 대표의 셋째 형이다. 김봉진 대표가 개방적이라면 대기업 SI에서 개발자로 일하던 김광수 CTO는 보수적이다. 성격의 차이는 어쩔 수 없지만 두 사람의 목표는 같았기에 큰 문제가 되지는 않았다. 둘은 지금도 일하다가 한 번씩 티격태격한다. 형제라서 어려운 점이 있다면 형제이기 때문에 풀어나갈 수 있는 여지도 있듯이 두 사람이 사무실에 남을 때면 서로 마음을 털어놓고 많은 대화를 나눈다. 외국에도 형제 동업자 사례가 많은 것을 보면 사업은 하기 나름인 듯하다. 친구는 물론 형제간에도 동업은 하지 않는다는 속설을 보기 좋게 깨버린 김 대표는 모바일 시장이 급격하게 신장하는 상황에서 하루도 미루면 안 되겠다는 생각을 했고 먼저 개발자인 형을 설득했다. 이미 형과 배달의민족 말고도 다른 앱을 여러 개 만들기도 했다. 물론 성공하진 못했지만 그때부터 하나씩 동업에 관한 주파수를 맞춘 셈이다.

의기투합한 형제와 고대현은 치킨집 전화번호를 먼저 넣기로 한다. 세 명이 직접 발로 뛰며 수동으로 전화번호를 모으기 시작했다. 그리고 결국 대부분의 프랜차이즈 업체 정보로 영역을 넓혔다.

누구나에게 뭔가를 시작한다는 것은 두려움이 앞선다. 사업을 시작하기에는 나이도 적지 않았고 가정도 있었다. 그들은 두려움이 엄습할 때마다 '실패'라는 단어를 머릿속에 떠올리지 않으려 노력했다. 스마트폰 시장에 대한 확신이 있었기 때문이다. 초기 배달의민족 앱을 보면 치킨집, 피자집, 중국집 등 기본 프랜차이즈로 꾸며진 것을 볼 수 있다. 당시 비주얼도 지금과 달리 전단지를 그대로 스캔한 듯한 이미지가 많았다. 비교적 정확한 정보였지만 비주얼의 응용도 동시에 요구되는 시점이었다. 이 작업만 장장 6개월이 소요되었다. 하루 스캔할 수 있는 전단지의 최대 양이 2천 장이라는 것을 몸소 깨우칠 정도였다. 이때부터 신용카드 한 장으로 버티는 일상이 됐다. 김 대표는 그나마 빨리 자리를 잡을 수 있어서 다행이라고 가슴을 쓸어내린다.

창업은 무엇보다 가장 가까운 사람을 설득할 수 있어야 한다. 그만큼 창업이 힘들뿐더러, 첫 수익이 나도 재투자를 해야 할 부분이 많기에 한 푼도 가져가기 어렵기 마련이다. 그는 책을 보며 창업과정이나 경영적인 부분을 채워나갔고, 주위의 멘토가 많았다는 점에서 행운아였다. 다만, 아내를 설득하는 게 가장 큰 고민거리였다. 허황되지 않게 아내에게 솔직하게 이야기했더니 더 이상 묻지 않고 그를 믿어주었다. 어느 날 아내가 출근준비를 하는 모습에 눈물이 앞을 가렸다는 김봉진 대표는 더욱 마음을 다잡았다.

김봉진 대표의 아내는 국내 디지털 대행사인 이모션에 재직 중이다. 이모션은 김 대표와 인연이 깊다. 그가 한참 일에 빠져들 2~4년차 당시를 이모션에서 보냈기 때문이다. 이후 NHN으로 자리를 옮겼지만 당시 인연을 맺은 이모션 박원식 부사장은 첫 투자자를 실제 김 대표에게 연결해주는 가교 역할을 톡톡히 했다.

무엇보다 근면, 성실

항간에는 김봉진 대표가 이 사업 때문에 잘 다니던 NHN을 퇴사했다고 알려져 있지만 이는 사실과 다르다. NHN 재직 당시 스마트폰을 처음 접하면서 '이런 서비스가 있으면 좋겠다'라는 생각은 했지만 퇴직은 그가 공부에 더욱 매진하기 위한 선택이었다. 그는 대학원 입학과 동시에 NHN에서 퇴직했다. 대기업 문화가 그와 맞지 않았던 측면도 있다. 업무영역이 의외로 단조롭다는 것에 한계를 느꼈고 공부하고 싶은 갈망이 컸다. 명문대 출신이어야 한다는 자괴감과 사내의 치열한 경쟁구도 속에서 자신의 삶에 대해 스스로에게 반문했고, 과감한 선택을 하기에 이르렀다. 더군다나 10년차였던 당시 빠르게 변모하는 IT 업계를 보면서 매너리즘에 봉착하게 되었다.

이후 그는 디자인에 관한 최신이론과 마케팅 관련 서적을 닥치는 대로 독파했다. 한 달 책값이 30~40만 원은 예사였다. 그는 '지난 10년 동안 나는 포토샵질만 하고 공부는 하지 않았구나' 하고 반성했다고 한다. 당시 감명 깊게 읽었던 책이 안철수 교수의 『영혼이 있는 승부』와 이나모리 가즈오의 『왜 일하는가』와 『카르마 경영』, 그리고 리처드 브랜슨의 저서 등이었다. 그는 이때부터 '나도 뭔가를 이루고 싶다'는 싹을 틔우기 시작했다.

그는 『왜 일하는가』의 내용 중에 '할 수 있다고 믿으면 아무리 캄캄한 어둠 속에서도 반드시 길이 보이는 법이다' '어떤 일이든 그 일을 이뤄내려면 스스로 활활 타올라야 한다' '누구에게도 뒤지지 않는 노력이야말로 인생과 일에서 성공하기 위한 강력한 원동력이다' '실제로 행동으로 옮겨야만 불가능 속에서도 가능성을 발견할 수 있다' 같은 문구에서 무엇보다 근면과 성실이 가장 중요하다는 것을 깨우쳤다고 말한다. 이를 모토로 배달의민족은 기술, 디자인 못지않게 발로 뛰는 근면, 성실을 무엇보다 중요하게 여긴다.

두 형제는 눈에 보이는 전단지는 닥치는 대로 수거했다. 농담이 아니라 쓰레기통을 뒤지는 것도 마다하지 않았다. 걷다가도 전단지만 보면 몸이 먼저 반응할 정도였다. 온라인과 오프라인의 정보 정확성의 간극을 좁힐 수 있는 유일한 방법은 직접 구한 전단지뿐이라고 생각했다.

처음에는 막막했지만 집요하게 파고들었다. 김 대표는 전단지 한

장이 어떻게 태어나고 사라지는지 조사하기 시작했다. 어떻게 업체 자료를 모으고, 어디에서 디자인하며 누가, 어떻게 인쇄하며 어떤 식으로 집 앞에 놓이는지까지 전 과정을 두루 살폈다. 김 대표는 재활용 센터에서 잠자고 있는 전단지를 한 장이라도 더 얻으려 기를 썼고, 충무로 인쇄업자에게 몇 번이나 쫓겨나는 와중에 별의 별 소리도 다 들었다. 하물며 전단지 청소하는 분과의 꼼꼼한 인터뷰도 마다하지 않았다.

그래서 내린 결론이 이렇게 길거리에 쉽게 버려지고, 없으면 아쉬운 전단지를 꼼꼼히 앱에 저장한다면 분명 사용자들도 감동할 것이라는 생각이 더 강해졌다. 그런 감동으로 사용자와 먼저 신뢰를 쌓고자 했다. 누구나 배달음식을 시켜 먹은 후 바로 업체를 등록할 수 있도록 시스템을 구축했다. 그런 의미에서 김 대표는 자신이 쓰레기통을 뒤진 일을 누군가 처음 해야 하는 '마중물'과 같은 의미라고 해석했다.

한번은 선릉역 근처에 사무실을 열었을 때이다. 주변 모든 중국집에 전화를 걸어 음식을 배달시켰다. 그리고 꼭 전단지도 가져다 달라고 요구했다. 또 한군데서만 주문하면 다양성이 부족하니 2인 1조로 한식, 중식, 일식을 배달시켰다. 본의 아니게 세 명 모두 각 나라 음식을 맛보기도 했다. 그렇게 새로 받은 전단지를 일일이 스캔해 앱에 등록했다. 따끈따끈한 최신 정보였다. 결국 선릉역 근처의 지역 정보가 먼저 틀을 갖추기 시작했다. 그것만으로도 몇 박스에 달하는 막대한 분량이었다. 발품이 만들어낸 첫 결과물이었다. 그들은 쉼 없이 전국 책자 사업자에게 손을 뻗었다. 전국 업체 관계자들을 초청하여 서울역에서 사업설명회도 열었다. 이는 초반 데이터 구축에 큰 힘이 되었다. 지방의 전단지 책자 사업자들이 쉽게 모일 수 있도록 서울역을 선정했다. 모집 방식은 배달의민족 앱 내에서 배너를 이용했다.

순식간에 모인 인원은 100명. 가능성은 충분했다.

사용자가 직접 업체를 등록할 수 있도록 앱을 개방하니 한 달에 몇 천 건씩 업체 정보가 쌓이기 시작했다. 서서히 발품을 줄였다. 거창하게 표현하자면 구글의 개방성을 그대로 앱에서 살린 것이다. 살아 있는 데이터가 꿈틀대니 네이버나 다음, 114에서는 찾을 수 있는 싱싱한 정보가 줄줄이 올라왔다.

김봉진 대표는 '근면, 성실'이 회사의 모토라고 강조한다. 특출한 아이템 개발에 집착하기보다 이미 만들어놓은 아이템을 꾸준히 다듬어 발전시키는 데에 가치를 두는 것이다. 시장을 장악하고 무엇보다 사용자들의 선택을 받기 위해서는 '꾸준함과 신뢰'를 손꼽는다. 퇴근시간이 불분명한 회사지만 예외 없이 출근시간을 9시로 정해놓은 것도 이 때문이다. 김 대표는 본엔젤스로부터 투자를 받을 때도 이 점을 부각했다. 누구보다 잘 만들 자신은 없지만 끝까지 성실하게 완주해 완성도 높은 앱을 만들 자신은 있다고 어필했던 것이 투자로 이어진 것이다.

물론 초창기에는 생소한 배달의민족 앱을 앱스토어에 등록한 후 홍보가 필요했을 것이다. 그는 체계적으로 홍보할 수 있는 여력이 없었기 때문에 마케팅을 하지 않았다고 한다. 한 것이라고는 그저 사용자 리뷰에 적극적으로 대응하는 것뿐이었다. 2010년 6월 당시, 아직 앱이 많지 않았던 덕도 한몫했다. 적절한 타이밍, 효과적인 마케팅 전략이었던 셈이다.

앱 마케팅은 전문대행사가 없을 정도로 방법론이 정립되지 않은 것도 사실이다. TV나 라디오 등 매스미디어를 통한 광고도 실제 다운로드와 연관성이 낮은 편이다. 블로그, 지식인 등의 온라인 마케팅도 영향력이 크지 않다. 이 과정 속에서 김 대표는 사용자들이 앱을 처음

에 어떻게 알고 내려받는지 전 과정을 복기하면 효과적인 마케팅 수
단을 찾을 수 있다고 조언한다.

"사용자가 처음 앱을 받을 때, 순위 높은 것부터 아래로 쭉 내려보다가
아이콘이 눈에 딱 걸리면 앱 이름을 먼저 확인해요. 그리고 나서 설명
은 둘째 치고, 리뷰를 보는 습관이 있지요. 때문에 앱 이름도 잘 지어야
하고, 리뷰 관리도 철저해야 합니다."

회사가 어느 정도 성장해 순탄한 길로 접어들면 자신도 모르는 사
이에 형성되는 타성을 조심해야 한다. 벤처기업이 수시로 시장에서
자신의 포지셔닝을 확인해야 하는 것처럼 CEO도 자신이 매너리즘에
빠지지는 않았는지 늘 되돌아보는 것이 지속적인 성장을 이끄는 비결
이다. 김 대표가 경계하는 것과 하루도 빼놓지 않고 챙기는 것이 바로
이 부분이다. 하루도 긴장을 풀지 않고 매일 인터넷과 각종 매체를
통해 자신들의 위치를 확인하고 사용자와 소통하며 혹시나 있을 만일
의 사태의 원인을 예방하려 힘쓴다. 데이터도 수시로 공유한다. 물론
자신 역시 매너리즘에 빠지지 않는 것이 필수다. 그래서 늘 감각적인
판단과 자신에 대한 조언이나 충고도 절대 흘려보내지 않는다. 성장
속도에 맞게 직원과 사용자, 업체를 집요하게 모두 챙기는 것도 빼먹
지 않는다. 김봉진 대표는 이를 개발 못지않게 중요한 영역이라고 믿
고 있다.

벤처캐피털에서 주목하다

미국의 벤처캐피털 회사에서 자금 제공업무는 업무영역 중 가장 기본적인 단계에 속한다. 그들이 가장 중점을 두고 하는 일은 투자가치가 있는 회사에 최적의 CEO, CFO, CTO를 찾아주며, 사업에 필요한 여러 가지 네트워크를 형성시키는 일이다. 사람, 업무 모두 여기에 속한다. 특히 소프트웨어 벤처기업의 경우 단기보다 장기적인 관점에서 미국의 벤처캐피털의 투자를 받는데, 이는 벤처기업의 역량을 키우는데 도움이 되고 사회 전반의 비즈니스상 신뢰관계 형성에 긍정적인 영향을 미친다.

2012년 2월, 미국 실리콘밸리의 알토스벤처스와 국내 유명투자사인 스톤브릿지캐피털, IMM인베스트먼트가 배달의민족에 총 20억 6천만 원 규모의 거액을 투자하기로 한 것 역시 김 대표에게는 천군만마와 같은 소식이었다. 이러한 투자는 벤처기업의 성공확률을 더 높일 수 있는 최고의 제반 환경을 제공한다. 최근 스마트폰과 소셜미디어의 급격한 확산과 함께 미국, 유럽, 한국, 일본 등 전 세계적으로 창업 초기 기업에 대한 투자가 확대되고 있다. 다양한 형태의 스타트업 기업이 등장하는 추세에 발맞춰 기술과 혁신뿐 아니라 운영과 실행, 마케팅까지 다양한 영역에서 성공적으로 운영될 수 있도록 지원을 아끼지 않는다.

스타트업 기업 혹은 벤처기업은 첫 자본금을 충분히 확보하는 것이 중요하다. 그 자본금을 어떻게 유용하게 사용하느냐에 따라 기업의 향방이 좌우된다. 티켓몬스터의 신현성 대표 역시 사업 초기 직접 발로 뛰며 일일이 쿠폰 확보에 열을 올렸고, 초기 자본 마련을 위해 창업자들의 돈을 모아 2억 5천만 원 확보 후 노정석 아블라 컴퍼니 대표가 추가로 5천만 원을 투자해 총 3억 원의 자본금으로 회사를 시작하게 된 것은 모두 아는 사실이다. 너무 많은 쿠폰을 팔아 고객 불만이 팽배했을 때 무려 6천만 원을 고스란히 환불해줌으로써 사용자 신뢰 확보는 물론 이들을 충성고객으로 바꿨다는 일화는 한 귀로 흘리기 어려운 얘기다.

그 어떤 것으로도 바꿀 수 없는 사용자의 신뢰확보를 최우선으로 삼는 것은 배달의민족 역시 마찬가지다. 김봉진 대표가 추구하는 기업 가치와 사용자 신뢰, 투자, 사용자 중심의 편의성과 업체 사장들과의 신뢰 형성은 배달의민족이 탄탄대로를 타기 위한 밑거름이 됐다. 그 역시 초기 본엔젤스로부터 투자받은 3억 원의 용도에 대해 "회사로서의 모습을 갖추는 데 가장 큰 도움이 됐다"라고 말한 것만 봐도 이와 다르지 않다. 또 티켓몬스터 역시 미국과 한국 양쪽 벤처캐피털로부터 투자를 받았는데, 배달의민족도 본엔젤스(한국)와 스톤브릿지캐피털(한국), 알토스벤처스(미국), IMM인베스트먼트(한국)로부터 투자를 받아 회사 가치 상승을 향한 유리한 고지를 밟았다.

배달의민족이 본엔젤스와 알토스벤처스 등으로부터 투자를 받게 된 경위를 잠깐 더 살펴보자. 본엔젤스의 경우에는 배달의민족이 걸음마 단계일 때 경영컨설팅과 멘토 역할을 했던 기업이다. 김 대표가 본엔젤스와 함께 창업했다고 말할 정도로 본엔젤스는 배달의민족이 초기 탄탄한 기로에 진입하는 데 일조했다. 본엔젤스 장병규 대표는 그 전까지도 IT 기업 여러 곳에 투자해 성공사례를 이어왔다. 본엔젤스 강석흔 이사 역시 여러 경로를 통해 김봉진 대표에게 큰 도움을 주고 있었다.

강석흔 이사는 한 매체를 통해 우아한형제는 경험 많은 개발 인력들과 오프라인 영업 인력까지 갖춘 창업 멤버 구성이 강점이라고 밝힌 바 있다. 특히 디자이너 출신인 김봉진 대표에 대해서 서비스의 독특한 캐릭터와 직관적인 UI를 성공적으로 만든 장본인으로서 주 타깃인 젊은 층의 주목을 끌 수 있는 튀는 기획력과 수시로 바뀌는 업체 정보를 직접 발로 뛰며 수집한 끈기와 실행력을 높이 평가한다고 밝혔다(머니투데이, 2011년 8월 17일).

본엔젤스일의 투자 이후 어느 정도 **BEP** Break Even Point(손익분기점)를 끌어올렸던 김봉진 대표는 2차 투자의 필요성을 느끼던 찰나였다. 2012년 경기가 어려울 것이라는 기사가 보도되면서 현금확보 차원과 경쟁사와의 경쟁에 대비해 공격적인 마케팅을 위한 자본이 필요했다. 또 인재를 모으려면 투자 이슈에 대한 뉴스가 필요했던 시기였다.

그러다 우연히 2011년 여름 한 자리를 통해 알토스벤처스의 공동창업자인 한 킴 대표와 대화를 나눌 기회가 있었다. 김봉진 대표는 그에게 서비스의 방향과 시장성에 대해 설명했다. 하지만 그는 배달의민족은 알토스가 투자하는 회사의 규모가 아니라며 거절, 그대로 미국으로 돌아갔다. 당시만 해도 한 킴 알토스 대표가 한국에서의 광범위한 네트워크를 기반으로 아시아 비즈니스가 강한 기업에 집중 투자하고 있다는 사실을 익히 알고 있던 터라 김봉진 대표는 이후 끈질기게 그를 설득했다. 이후 배달의민족은 언론에도 많이 노출되고, '스마트앱어워드 2011'에서 생활서비스 부문 대상, '스포츠조선 선정 2011 고객만족도 1위 상품'으로 선정될 만큼 인지도가 높아졌다. 이후 김봉진 대표가 한 킴 대표에게 재차 연락해 반드시 투자가 아닌 여러 가지 운영에 관한 자문을 구했다.

한 킴 대표는 서비스 지표나 성과에 대해 많은 멘토링을 하였고 어느 날 투자하겠다는 의사를 선뜻 밝혔다. 정작 난관은 다른 곳에 있었다. 공동창업자인 실리콘밸리의 두 명의 미국인이 한국의 배달 문화를 이해하지 못 하여 난관에 부딪친 것. 그들은 아무리 스마트폰이 대중화되고 한국에서 배달 문화가 발달했지만 과연 이 앱이 성공할 수 있겠냐며 반대했다. 한 킴 대표가 오히려 나서서 이들을 설득, 스톤브릿지와 함께 합작으로 투자를 확정하기에 이른다.

의도적인 저급함과 싸구려가 콘셉트, 패러디도 과감하게

사용자가 배달의민족을 선택했다는 것은 직관적인 UI와 함께 과감하고 위트 있는 일러스트와 문구, '배달의민족'이라는 한눈에 쏙 들어오는 이름도 한몫한다. 배달의민족의 콘셉트는 '의도적인 저급함과 싸구려'다. 말 그대로 다분히 의도적이다. '21세기 최첨단 찌라시'라든가 '집단지성으로 만들어가는 전단지 대백과사전' 등 카피나 캐치프레이즈도 과감히 시도해 사용자로 하여금 짜릿한 카타르시스를 느끼게 한다. 김 대표는 이러한 일러스트나 문구가 표면적인 것이 아니라 사전 계획에서 비롯된 여러 의미가 내포되어 있는 것이라고 강조한다. 그는 아예 처음부터 직관적인 UI와 재미를 주는 앱으로 개발할 생각이었다. 당시만 해도 디자인다운 디자인이 들어간 앱을 찾아보기는 어려웠다. 위트 있게 시작하려고 했다. 그리고 이 앱의 메인 타깃은 누구이며 배달음식은 누가 가장 많이 시켜 먹는지, 어떤 음식을 누구와 함께 먹는지 연구했다. 그러한 타기팅 작업 후 그에 맞춘 앱의 특성을 고려했다. 간결한 디자인과 패러디야말로 사용자가 배달의민족 앱의 선택을 이끌어낸 일등공신인 것이다.

어떤 앱이든 타깃이 중요하다. 김 대표는 먼저 앱을 많이 이용하는 표본을 추출하고 그중에서 배달음식을 누가 가장 많이 시켜 먹을지 고민하며 타깃을 서서히 좁혔갔다. 젊은 사람 중에서도 20대, 그중에 서도 대학생, 그리고 홍대 주변 거주, 그들의 문화방식 등 서서히 타 깃을 구체화하자 답이 보이기 시작했다고 한다. 홍대거리 문화를 즐 기는 20대 젊은 대학생을 타깃으로 정하니 이들이 좋아하는 디자인이 나 브랜딩이면 모두가 좋아하겠다는 결론을 얻었다. 귀엽고 아기자기 한 일러스트 요소들, 쌈지 스타일, 과감한 패러디와 카피, 캐치프레이 즈 등을 시도했다. 이것을 마케팅으로 이어지게 했다. "어처구니없는 멘트와 문구, 싸구려 저가 마케팅, 오덕스러움, 파코즈 사이트나 짤방 느낌"을 요소로 활용했다는 것이다.

패러디도 과감하다. 인기 미드 〈CSI 과학수사대〉를 패러디한 'MIS 맛집수사대'는 해당 지역의 맛집 정보를 알려주거나 수정할 곳을 푸 시하는 50명의 애용자로 구성되어 있다. 회의를 거쳐 김봉진 대표가 임명하였고 제대로 하자는 취지에서 3D 레이저로 깎아낸 독특한 실 크 트로피를 분신으로 수여했다.

요지는 제공하는 정보만큼 사용자가 재미있게 사용해야 한다는 것 이다. 재미없으면 개나 줘버릴 태세다. 그래야 입소문도 낼 수 있기 때문이다. 스마트폰 신규 가입자의 20%가, 매일 6,000여 명이 이 앱을 새로 내려받는다. 이에 대해 김 대표는 아직 할 말이 많다.

"의도적인 저급함과 싸구려, 패러디가 결코 나쁜 것만이 아닙니다. 시 대가 변하고 있습니다. 버라이어티쇼를 보면 비속어나 거침없는 말투 가 많이 나오잖아요. 요즘은 비주류의 가벼움과 저급한 패러디일지라 도 그 안에 메시지가 분명하다면 그것만으로 큰 반향을 불러일으킬 수 있는 시대입니다. 라디오에서는 '컬투쇼', 팟캐스트에서는 '나꼼수'

등 다양한 매체가 쏟아지면서 사용자와 있는 그대로 수없이 많은 소통을 할 수 있잖아요. 그래서 이런 저희 전략은 충분히 전략적이죠."

김 대표는 입소문이란 사용자의 만족과 이야깃거리가 있어야 한다고도 주장한다. 그는 "소비자는 영악하다. 다 안다. 기존 앱과는 차별화된 디자인과 스토리텔링, 기능적인 포인트가 중요하다"라고 지적했다.

물론 그 이면으로는 기술적인 부분의 완성도를 위해 최선을 다한다. 배달의민족은 정보의 고도화와 최신화, 시스템 안정성 유지에 만전을 기하고 있다. 오늘의 성공은 이 모든 과정이 지금까지 한 치의 오차도 없이 짜임새 있게 돌아간 결과다.

배달 문화에 처음 도입한 리뷰 문화

사용자는 배달음식을 주문하는 순간 소비자가 된다. 그 업체의 음식 맛은 물론 배달수준, 청결, 친절, 서비스 등을 평가하고, 앱을 통해 별점으로 표시한다. 여차하면 배달의민족 카페에다가도 의견을 남길 수 있다. 단순히 전단지에만 의존했던 때와는 차원이 다른 서비스 방식이다. 기존 지역 업체들이 그동안 활용하기가 쉽지 않았던 소비자 참여방식을 택해 업체의 신뢰도를 높인 것이다.

군소업체 입장에서 볼 때 이런 별점이나 의견이 쌓이다 보면 작은 것부터 개선하게 되고 지역 소비자와 신뢰를 형성해 시장에서 충분히 경쟁력을 키울 수 있는 힘을 갖추게 된다. 사실 많은 사람이 지역 배달 문화에 리뷰란 사치라고 생각하기 십상이었다. 소규모 배달 업체 입장에서는 최대한 정해진 시간 내에 신속하게 배달하며 전단지 한

장이라도 더 뿌리는 것이 우선이었다. 이 과정에서 소비자와 업체 간의 서비스 질에 대한 기대는 갖추기란 쉽지 않다. 이 간극을 깨는 데 배달의민족이 한몫하고 있다. 업체도 소비자들도 소통을 통한 서비스 개선과 주인의식을 갖추는 데 동기부여가 되는 것이다.

처음에는 일부 부정적인 리뷰에 대해 업체 사장들에게 전화도 많이 받았다고 한다. 당장 지위달라는 요청이었다. 처음이라 업체 입장에서도 개선의 여지가 많지 않았다. 김 대표는 시행착오가 필요하다고 봤다. 업체 사장들로부터 전화를 받으면 다소 지나친 부분에는 블라인드 처리 정도는 해줄 수 있지만 좋은 이야기든 아니든 소비자 의견을 충분히 수렴하는 것이 좋다고 설득했다. 그것이 일반화될 만큼 쌓이면 소비자 스스로 알아서 판단하게 된다. 요즘 소비자들은 무조건 좋은 글도 무조건 받아들이고 믿지 않는다.

맛과 서비스에 대해 어느 정도 이의를 제기하면 업소는 그 의견을 보고 개선하는 방법을 찾는 것이 더 효과적이다. 소비자와 소통하며 더 발전할 수 있는 근간이 되기 때문이다. 군소업체지만 질적 향상을 도모할 수 있는 계기가 된다. 리뷰 문화가 배달 문화에 처음으로 도입된 것이자 배달 문화와 고객 간의 신뢰형성에 첫 가교가 생긴 것이다. 배달음식 주문해 먹어본 사람이 직접 리뷰를 남긴다. 글만 남기는 것이 아니라 직접 찍은 사진을 첨부하기도 한다.

하지만 김 대표는 인신공격성 글이나 허위사실 유포에 대해서는 즉시 강력한 대응을 한다. 리뷰를 남긴 사람의 흔적 조사는 물론 언급된 업소에 일일이 전화해 확인하기까지 한다. 이런 문화가 시행착오를 거듭하며 활성화될 때마다 김 대표는 지역기반 군소시장이 더욱 건강하게 발전할 수 있을 것이라는 믿음이 있다. 처음 업체 사장들을 만나 영업할 당시만 해도 지금과 같은 안정적인 상황이 오리라고는 장담할 수 없었다. 한 번씩 사기꾼으로 오해받기도 부지기수였고, 그럴 때마다 스마트폰 원리를 아무리 설명해도 '소귀에 경 읽기'였다. 모두 다른 나라 이야기로 일괄했다. 이야기를 아예 들으려 하지도 않았다. 천신만고 끝에 배달의민족을 통해 전화가 걸려온 결과를 일일이 프린트로 출력하여 하나하나 설명하기 시작했다. 역시 아무도 믿지 않았고, 쉽게 믿으려 하지 않았다. 그런 데이터가 어디 있냐는 반응이었다.

김 대표는 그 무렵 재미있는 아이디어를 하나 생각해냈다. 바로 '역컬러링'. 이 '콜멘트' 서비스는 배달의민족을 통해 걸려오는 전화는 "배달의민족에서 걸려온 전화입니다"라는 안내멘트가 흘러나온다. 전화를 거는 입장을 뒤집어서 생각한 것이다. 처음 도입 당시 업체 사장들은 이것이 무슨 소리인가 의아해했다.

마침내 하루 한두 통 걸려오던 전화가 다섯 통 이상 걸려오면서 서서히 업체들은 배달의민족 앱에 대해 관심 갖기 시작했다. 마침내 돈을 더 낼 테니 전화를 더 많이 받을 수 있도록 해달라는 요청도 늘었다. 이때부터 김 대표는 광고상품이 될 수 있는 가능성을 감지했다. 배달의민족 광고를 통한 재구매율은 무려 95%에 이른다. 기존 가입 업체 중 한 달 평균 수신율이 120만 콜 정도이니, 약 12만 업소를 계산하면 약 10콜 안팎이라는 수치가 나온다. 상위 노출 광고를 통해 사용자에 노출이 더 되거나 리뷰의 힘을 받은 상위 7~8개 업체가 전체의 70~80%의 콜을 가져가는 파레토 법칙이 여기에서도 적용된다. 심지어 한 달에 300~400콜을 받는 업체도 있으며 적은 곳은 10~20콜을 가져간다. 10콜 정도도 광고비의 ROI를 따져볼 때 결코 밑지는 수가 아니다. 이 콜멘트 서비스는 특허도 취득한 상태다. 대부분의 배달 업체는 평균 매출의 10% 이상을 광고비로 지출하는데, 배달의민족에 등록하면 그 부담을 대폭 줄일 수 있다.

2012년 1월에는 사진 첨부가 가능한 '리뷰시스템'을 도입했다. 또 메인화면에 '사용자의 현재 위치 표시'를 추가하고 위치 재설정 기능을 강화했다. 해당 업체를 클릭하면 해당 업체와 관련한 이벤트나 쿠폰, 할인정보 등 노출도 눈에 띄도록 했다. 상세 위치정보가 등록되어 있을 경우 주소정보 버튼 형태로 표시하여 정확한 위치도 파악할 수 있다. 직관적인 UI뿐 아니라 UX를 고려해 페이지를 재구성했다. 또 최신 리뷰를 상세페이지에서 바로 확인 가능하도록 했고, 중요한 내용을 상단으로 배치해 사용자가 더 정확하고 편리하게 리뷰를 확인할 수 있게 했다. 업체와 관련한 이벤트나 쿠폰, 할인 내역도 가시적으로 노출하여 지역 업체도 자신만의 이벤트 기획이 가능하도록 하고 이를 확대하는 데 초점을 두고 있다.

사진은 리뷰를 남길 때 최대 3개까지 첨부가 가능하다. 첨부된 사진 썸네일로 표시되며 사진을 선택하면 팝업으로 바로 스마트폰이나 태블릿 PC로 크게 볼 수 있다. 자신이 작성한 리뷰가 있을 경우 직접 편집할 수 있고, 자신만의 리뷰를 정렬 가능해 사용자 참여율을 더욱 높인 것이 큰 장점이다. 물론 삭제도 가능하다. 알찬 정보와 편리한 기능, 톡톡 튀는 디자인과 아이디어가 맞물려 시너지 효과를 내고 있는 것이다.

What보다 How

김 대표는 모바일 웹과 앱의 선택에서 가장 중요한 것은 과연 서비스를 애플리케이션으로 구현해야만 하는 이유가 명확한지 여부에 달

(윗줄 왼쪽부터 시계방향으로) 박일한, 윤현준, 김수권, 김광수, 김봉진, 고대현, 이은호.
배달의민족 창업과 함께 동고동락한 이들은 죽을 때까지 한민족이다.

려 있다고 말한다. 명확한 이유가 있다면 앱으로 개발하는 것이 좋다.
앱으로 구현해야만 하는 독특한 UI 때문이다. 모바일 웹으로 구현할
수 없는 기능과 UI가 서비스의 핵심이라면 앱으로 개발해야 한다. 더
불어 '어떠한What 서비스를 구현하느냐'보다 '어떻게How 서비스를 제
공하느냐'에 성공과 향방이 달려 있다고 해도 과언이 아니다. 잘 만드
는 것도 중요하지만, 잘 운영하는 것도 중요하다. 무료버전이라도 사
용자의 기대치는 전혀 낮지 않다.

　사용자의 선택을 받는 앱의 경우는 대부분 실용성을 갖고 있다. 독
창적이기만 하는 일회성 반짝 서비스는 오래가지 못한다. 많은 개발
자나 1인 창업자 들이 이 부분을 간과하기 일쑤다. 독창적인 아이디어
라면 처음엔 입소문을 타고 앱스토어 순위 50위권에 잠시 랭크될 수
도 있다. 이를 기반으로 한 콘텐츠가 없다면 금세 추락하고 말 것이다.

성공이라는 대어를 낚기 위해서는 1개월 이상 순위에 지속적으로 머물 수 있는 힘이 필요하다.

배달의민족의 직관적인 UI는 성장의 밑거름이 되어 왔다. 배달의민족 서비스 초기 단계부터 김 대표가 지켜왔던 제작 원칙 중 하나가 바로 '누구나 가장 쉽게 구현할 수 있어야 할 것'이었다. 터치 두 번만 하면 바로 전화할 수 있도록 UI를 지금까지 유지했다. 명확함과 더불어 위트는 필수다.

"어느 정도로 쉽고 재미있게 만드느냐 하면요, 초등학생? 아니에요. 요즘 초등학생도 똑똑하고 이해가 빨라서 스마트폰이 아니라 태블릿 PC도 능수능란하게 사용해요. 바로 우리 어머님들이 타깃입니다. 어머님들에게도 쉬워야 해요. 그래서 우리 직원들 어머니께 자주 부탁드리곤 합니다. 명확함이라는 건 업체 정보의 최신성과 정확성을 동반해야 합니다. 위트도 이 못지않게 중요한데, 하마터면 우리 스스로 우리의 색인 '위트'를 무너뜨릴 뻔한 적이 있었어요. 서비스 규모가 커지고 중년층 사용자도 늘다 보니 우리도 좀 더 구색을 맞춰야 하는 것 아니냐는 의견 때문이었죠. 그랬더니 오히려 제 주변에서 모두 반대하더라고요."

김 대표는 한때 이를 진지하게 고민했다. 한번은 지인에게 이를 털어놓으니 위트를 빼면 전혀 배달의민족스럽지 않다고까지 했다. 그 한마디가 그에게 강하게 울렸다. '배달의민족스러운 것' 한마디로 그는 배달의민족 브랜딩이 어느 정도 시장에 뿌리를 내리고 있다고 판단했다. 그래서 다시 위트의 중요성을 놓치지 않고 더욱 사랑받을 수 있도록 전략회의를 거듭하고 있다.

기술적인 문제도 극복해야 할 사안이다. 배달의민족 앱은 무엇보다 위치정보의 정확성이 더 요구되는 서비스인데 사용자 반경 500미터 정도는 기술적 문제로 오차가 나기도 한다. 또 와이파이Wi-Fi나 3G 등 이동통신망에서 발생하는 서비스 오류가 네트워크상 문제인지 그 원인을 지속적으로 찾아 해결하고 있다.

결제 시스템도 기술적인 어려움 못지않게 중요한 부분이다. 결제 시스템의 정책적인 부분 등 절차와 시스템, IP, 카드사 문제로 배달의 민족 앱뿐 아니라 대다수의 앱이 수익창출의 기회를 잡지 못 하고 있다. 미국의 경우에는 온라인 결제대행사이트인 페이팔PayPal이 사용자의 손쉬운 결제를 유도하여 즉시 수익을 낼 수 있는 토대를 마련했지만, 국내는 결제대행사나 결제정보를 저장하는 방식이 뿌리내리지 못했다. 결제단계를 최소화만 해도 큰 어려움을 벗어날 수 있다는 것이 업계의 한 목소리이기도 하다.

모바일 서비스는 여느 기술보다 쉽게 모방될 수 있다. 개발이 모바일 웹에 비해 쉽다 보니 작은 기업이나 개발자라도 서비스 개발이 가능하다. 오히려 후발주자가 원조격 서비스를 뛰어넘는 경우도 흔하다. 시장을 선점했다고 마음 놓고 있을 수만은 없다. 그 중심은 바로 사용자와의 꾸준한 커뮤니케이션이다. 김봉진 대표는 사용자 리뷰의 중요성을 그 누구보다 잘 알고 있다. 각 업체마다의 리뷰는 물론이고 앱스토어 리뷰 역시 꼼꼼히 관리한다. 리뷰에 관한 한 철저하고 책임 있는 관리는 재차 강조해도 지나치지 않은 법이다. 그러다 보니 웃지 못 할 에피소드도 많다.

한번은 리뷰 중에 '이 집 전화 안 받는다' '없어졌다'라는 리뷰가 있었다. 그래서 즉시 그 업체를 지웠는데 얼마 지나지 않아 해당 업체에서 전화가 걸려왔다. 알고 보니 근처 경쟁 업체와의 과도한 경쟁 때문에 벌어진 해프닝이었다. 웃고 넘길 수만은 없는 일이었지만 이 일을 계기로 더 꼼꼼하게 확인전화를 하여 처리하고 있다고 한다.

그렇다면 리뷰 수정이나 블라인드 처리는 어떠한 기준을 따르는 것일까? 나름의 기준이 있지만 쉽지만은 않은 것이 사실이다. 포털 사이트는 정보통신법상 작성된 글 때문에 당사자가 피해를 입으면 삭제해야 하는 것이 원칙이다. 포털 사이트 측에서는 당사자를 확인할 수 있는 증명서를, 배달의민족은 사업자등록증을 확인한다. 그리고 가급적 삭제보다는 블라인드 처리를 우선으로 권하고 있다. 물론 욕설이나 음담패설, 광고성 도배는 그 즉시 삭제된다. 특정 업체에 고정적으로 악성댓글을 다는 사용자는 따로 블랙리스트를 만들어 관리한다. 전후 글을 모두 확인하는 작업은 고되더라도 빼놓을 수 없다. 심지어 업체 사장이 악성댓글을 다는 경우도 적지 않다. 그래서 배달의민족은 고객만족팀에 더 많은 인원이 필요하다. 앱 하나에 이렇게 많은 인원을 투입해야 하냐는 볼멘소리도 많이 들었지만, 하나하나의 대응이 곧 서비스의 질적 만족과 직결되기 때문에 더욱 심혈을 기울이고 있는 것이다.

2012년 상반기 배달의민족 직원 수는 37명에 달한다. 이 중에서 CS 인력만 5명으로 전화와 업체 정보 입력, 리뷰 검색, 메뉴 평가리뷰, 욕설 등 하나하나 검색해 대응한다. 더 이색적인 것은 마케터 3명이 독립된 부서가 아닌 각 파트에 1명씩 투입됐다는 사실이다. 마케터는 현장에서 업체 사장들의 인터뷰를 통해 니즈가 무엇인지 수시로 파악한다. 이 데이터를 개발팀에 넘겨 초안 작업을 하면 CS 파트와 마케터가 함께 개선점을 찾는다. 조직에서 현장과 맞닿은 파트인 만큼 무척 고된 파트지만 그만큼 보람도 크다. 김 대표는 이들에게 늘 동기부여를 하고자 끊임없는 대화와 정보, 복지를 제공한다.

캠페인과 이벤트를 진행하고자 할 때는 전 파트가 모인다. 특정 파

배달의민족 내부. 곳곳에 과감한(?) 서체와 위트로 중무장한 슬로건도 돋보인다.

트에서만 아이디어가 나온다는 보장이 없기 때문이다. 앱 상단에 '너는 조국을 위해 무엇을 했는가' 하며 위트 있게 애국심을 자극하는 채용공고 멘트의 경우 개발팀장의 아이디어다. 사내에 '득템냉장고'를 비치해 음료수와 간식을 무한정으로 제공하며 소소한 웃음거리를 자아낸다. 이는 경영지원실장의 아이디어다.

김 대표가 지향하는 마케터 인재상은 스킬보다는 서비스의 깊이를 알고 애정 어린 시각으로 뭔가를 재창조할 수 있는 크리에이티브한 사람이다. 직원 수가 늘면 그만큼 의견수렴 절차와 직원관리가 중요한 법이다. 김 대표는 무엇보다 아이디어 회의는 모두가 참석해 다양한 이야기를 쏟아야 한다고 믿는다. 직위가 주는 무게감이 작용한 상명하복식 "이거 해!"가 아닌, 그들이 스스로 결정해 실행할 수 있도록 하고, 김 대표는 뒤에서 묵묵히 지원 역할에 충실하려 한다. 직원 스스로 능동적인 행동과 책임, 자율을 통해 그들의 능력을 키우고자 한다. 전 직원이 회사를 키우는 재미를 쏠쏠하게 느끼게 하는 것이 직원

관리의 포인트인 셈이다.

백번 말하는 것보다 한 번이라도 제대로 느끼는 것이 중요하다. 회사의 핵심 가치를 직원과 공유하는 것은 그런 연유에서다. 2011년 10월에는 2014년 말까지 이런 회사를 만들기 위해 모두 노력할 것이라는 나름대로의 '버킷리스트'를 만들어 홈페이지에 게시하기도 했다. 배달의민족 직원들이 작성한 버킷리스트는 주목할 만하다. 김 대표는 향후 3년간 직원들에게 어떤 회사가 되었으면 하는지 구체적인 의견을 말하도록 했다. 야근이 싫다면 몇 시까지를 야근으로 규정할 것인지, 복지라면 구체적으로 어떠한 복지를 말하는 건지 직원들의 세세한 부분까지도 귀를 열었다.

그중 '근사한 테라스가 있는 회사' 건에 대해서는 바로 앞에 청정의 석촌호수가 내려다보이는 근사한 2층 건물로 이전했다. ID 카드 건에 대해서도 바로 받아들였다. 퇴근 시간을 30분 늘렸지만 대신 점심시간을 1시간 반으로 늘려 은행업무나 운동, 수면, 독서 등 개인적인 시간 활용을 더욱 용이하도록 했다. 또 라면을 마음껏 먹는 회사를 위해 이것도 반영했다. 책이라면 무한히 사볼 수 있다. 만화책, 경영도서, 동화책 등 장르를 구분하지 않는다. 임원실이 없는 수평적인 인테리어 구도를 위해 사무실 확장 후에도 임원실을 별도로 두지 않았다.

"3년 후에 우리 회사가 상장했으면 좋겠다, 가족이 자랑스러워하는 회사, 결혼도 시켜주는 회사, 공부하고 싶은 직원들에게 교육비를 지원해주는 회사, 반바지와 미니스커트를 입고 출근할 수 있는 회사, 유명 인사를 초청해 명 강연을 들을 수 있는 회사 등 많죠. 못 이룰 것도 없죠, 뭐. 제가 느끼는 '경영'이라는 단어에는 직원 모두가 편하게 의견을 공유하고 개선하면 결국 하나가 될 수 있다는 의미거든요."

배달의민족은 개방성 광고 플랫폼

이미 광고상품은 적잖은 수익을 내고 있지만 김 대표는 향후 다양한 광고 서비스를 계획 중이다. 그는 업체에서 직접 정보를 올릴 수 있는 페이지를 구축하고 PC에서도 자유롭게 주문할 수 있는 시스템을 준비 중이다. 소셜커머스와의 접목도 꾀하고 있다. 전화를 거치지 않는 자동 주문서비스와 결제서비스, 통합 마일리지 서비스도 개발하고 있다. 사용자에게도 어느 정도의 이익을 제공해야 할 필요가 있기 때문이다. 마일리지나 할인쿠폰 등 다양한 결제기능을 추가하면 편리함을 준다. 마일리지의 경우는 다른 업체에도 쓸 수 있는 방안도 고심 중이다. 적립금을 쌓거나 기부금을 내는 등 다양한 방법을 대기업 담당자들과 협의 중이다.

김 대표는 모바일 기프티콘 전송기능도 고려 중이다. 현장에서 바로 전송받은 기프티콘으로 결제하는 방식이다. 선물도 가능하다. 가령 아버지나 어머니가 야근 때문에 퇴근이 늦어질 때, 아이 생일일 때, 배달의민족을 통해 기프티콘을 전송하면 더 효율적일 것이다. 앞으로 2~3년 내에 구축될 것으로 보인다. 그는 배달의민족이 사용자와 업체에게 하나의 플랫폼이 됐으면 하는 바람을 갖고 있으며 그것을 '미션'이라고 비유했다. 기존 로컬광고 시장이 광고효과를 측정할 수 없는 주먹구구식이었다면, 온라인에 가장 늦게 반응하던 것에 비하면 배달의민족을 통해 많은 인식전환과 개선이 이뤄지고 있다. 힘들고 어려운 노력이겠지만 그 개선하는 노력 하나하나가 모여 양쪽 모두에게 큰 혜택이 돌아갈 것이다.

"앞으로 계획요? 온라인에서 일어나는 모든 것을 엮을 것입니다. 배달의민족은 플랫폼이잖아요. 그래서 스마트폰 시장을 뛰어넘어 스마트 TV와 PC버전도 계획하고 있어요. 2011년에는 주위에서 '안드로이드 전략이냐, 아이폰 전략이냐?' 하고 묻는 분들이 많았는데, 저희는 대중이 원하는 것에 맞춰서 서비스할 것입니다. 그래서 서서히 유비쿼터스 시대까지도 감안하고 있어요."

김봉진 대표는 대한민국에 존재하는 모든 배달 전단지를 앱에 넣는 게 일차적인 목표다. 전국에서 배달 서비스를 하는 모든 중소상인들의 광고 플랫폼이 되는 것이 그다음이다. 투박하지만 싼 티 나지 않고, 저급하지만 촌스럽지 않은 배달의민족. 우리나라의 배달 문화에 엄지손가락을 치켜세우며 '원더풀'을 외치는 서양인이 있다는 것은 우리 겨레의 얼과 혼이 담긴 배달의민족이 있기 때문이 아닐까?

2

사람을 이어주는 위치검색
1200만 다운로드 신화
오브제

키위플 신의현 대표

신의현 대표
신의현 대표는 서울대학교 전기공학부를 졸업했다. SK텔레시스 상품 기획팀장과 SK텔레텍
상품 기획팀, 상품전략팀, 최신원 회장 비서실에서 근무했다. 인문학과 철학적 사고를 기반
으로 서비스하는 데 중점을 두고 있다.

왜 '오브제'인가?

최근 서점가에 불고 있는 트렌드를 꼽자면 단연 인문학이 아닐까? 인문학은 인간의 철학적 가치와 사고를 중심으로 스스로 던지는 질문에 대한 해답을 찾아준다. 기본적으로 사람을 위한 학문이기 때문이다. 키위플이 서비스하고 있는 '오브제'도 인문학적 가치에서 출발했다.

증강현실, 위치기반서비스, SNS 서비스로 1200만 사용자를 확보한 오브제 특징은 바로 실생활에서 가상의 정보를 기반으로 소통할 수 있게 했다는 점이다. 모두의 관심사인 장소를 '팔로우'하는 개념도 신세대를 사로잡았다. 최근 페이스북, 트위터, 미투데이, 카카오톡 연동 기능을 통해 기존 주변 친구 개념에서 지인 중심 네트워크를 한층 강화했다. 무엇보다 오브제는 사용자의 '습관'을 파악해 서비스에 도입했다는 점이 이색적이다. 때문에 다른 앱보다 체류시간이 길다. 카카오톡에 이어 단일 앱으로 1천만 다운로드를 기록했다는 점도 업계 이슈였다.

신의현 대표는 승부사 기질이 있다. 승부처를 알고 있다. 당장 로컬 광고를 내고 서비스를 개방하면 가시적인 수익이 날 것이 분명하지만 그는 아직 멀었다고 한다. 사용자에게 완벽한 서비스를 제공하기 위해서다. 그러고는 숨겨뒀던 발톱을 내민다. 안드로이드폰 기본 탑재 과정도 흥미롭다.

신 대표는 인문학적 사고와 철학적 가치를 수반한 오브제가 그동안 사용자에게 사실상 어려웠다고 고백한다. 그래서 오브제만의 색을 유지하며 사용자에게 더 가치 있는 서비스를 제공하고자 노력한다. 그동안 '세상에 없던 서비스'였기 때문에 자신의 한계를 시험해보고 싶은 생각이 간절했다. 컵라면을 먹는 데는 3분 기다리면 족하지만, 몸에 좋은 야채가 들어가는 요리는 더 많은 시간이 걸린다. 오랫동안 준비해온 서비스이기에 조급함 없이 사용자와 꾸준히 호흡하려고 노력한다.

카카오톡 부럽지 않은 1200만 가입자

2012년 2월 28일 방송된 KBS 2TV〈승승장구〉에는 은지원이 출연, 아내와 전화연결을 시도했다. 아내는 통화 중 늘 틈만 나면 게임에만 몰입하는 남편에게 뼈 있는 한마디를 남긴다. "현실세계에서도 재미있는 것이 많은데 너무 세상과 벽을 두지 않았으면 좋겠어요."

　현대인은 늘 인터넷을 통해 정보를 얻고, 가상게임을 통해 또 다른 세계에 빠져든다. 잠시라도 스마트폰이 없으면 줄곧 불안하고, SNS를 통해 쉼 없이 상대와 교류한다. 늘 가상세계에 파묻혀 산다는 착각을 불러일으키기에 충분하다. 신의현 대표가 내놓은 오브제는 이러한 취지 속에 현실과 가상세계 간의 괴리를 없애고자 기획한 서비스다.

　실생활에서 가상의 정보를 기반으로 소통할 수 있는 플랫폼을 제공하는 오브제는 우리가 무심코 지나치기 쉬운 사물과 공간에 의미를 부여한다. 같은 사물을 좋아하거나 관심 있는 사람들 간의 공통점을 연결하면 새로운 SNS 서비스가 가능할 것이라는 데에 주목했다.

　"가상의 인터넷에 갇혀버린 사람들을 실존하는 현실세계로 이끌고자 했습니다. 오브제는 현실세계를 기반으로 하는 정보시스템에 접근할 수 있는 경로를 제공하죠. 사람들이 의미 있게 바라보는 현실세계의 모든 것이 게시판이 되고, 그 안에서 관심사를 얘기하며, 이들을 서로 연결해줍니다. 사람과 사람 사이의 네트워크를 연결하는 플랫폼으로서의 역할을 하는 것이죠."

1200만 명의 스마트폰 사용자가 이용하고 있는 오브제는 현실을 기반으로 한 가상서비스를 제공한다. '가상세계'를 오브제라는 서비스에 덧칠했지만 그 기반은 철저히 현실세계다. 한마디로 리얼라이제이션Realization, 즉 현실화를 커다란 뼈대로 삼는다. 오브제는 현실과 가상세계를 이어주는 가교 역할로 사용자들에게 하나의 지식 플랫폼 혹은 집단지성의 아고라 서비스를 제공한다. 그래서 도입한 개념이 현실세계를 중점으로 한 '장소 팔로우'다.

트위터나 페이스북 같은 여타 SNS의 경우 사람과 팔로우하고, 친구를 맺은 후 서로의 이슈를 나눈다면, 오브제는 공통의 장소 혹은 사물을 중심으로 대화하며 관계를 형성한다. 서로의 호감을 위주로 공통점을 연결하여 새로운 SNS가 가능하다. 야구시즌에는 잠실야구장 등 자신이 응원하는 구단 홈구장을 팔로우해 전문가와 비전문가 공통의 관심사로 이야기를 나눌 수 있다. 선거 때는 국회의사당을 팔로우해 각종 토론이나 오프라인 만남을 이룰 수 있다. 신 대표가 "여의도에 가면 정치 이야기가 너무 많다"라며 너스레를 떨 정도로 오브제를 통한 사용자 정보와 이슈 공유는 활발하다.

꽃피는 봄이 오면 관심 있는 놀이동산이나 수목원 등을 팔로우해 정보를 공유할 수 있고, 학습에 필요한 별자리나 특정 지역을 팔로우해 그 지역의 문화에 대한 이슈를 실시간으로 접할 수 있다. 재미있게도 독자가 동방신기의 팬클럽인 '카시오페아'라면, 하늘의 별자리 카시오페아를 오브제로 띄워 팔로우해 리얼한 팬클럽 이야기를 실시간으로 담아낼 수 있다. 이것이 앞서 말한 대로 하나의 지식 플랫폼이나 집단지성의 표본이 될 수 있는 근거다. 1200만 명 사용자의 스마트폰에 오브제가 기본으로 깔려 있다는 사실과 하루 평균 10만 건 이상의 글이 이를 방증한다. 2012년 제19대 국회의원 선거에서 오브제는 투표소를 손쉽게 찾을 수 있도록 중앙선거관리위원회에서 제공받은 전국 약 1만 4800여 곳의 투표소 위치를 지도와 증강현실 기능을 통해 이용자에게 제공하여 화제가 되기도 했다.

오브제는 기본적으로 LBS와 증강현실을 주요 요소로 한 서비스다. 기존 증강현실 서비스가 대상 건물을 인식하지 않고, 카메라 배경과 무관하게 POI Point of Interest(관심지역정보)의 거리와 방향만을 사용자에게 제공했다면, 오브제는 LBS 기반의 가상공간을 통해 카메라 배경(실제 건물)과 POI를 일치시킨다. 또한 기존 증강현실이 애플리케이션이었다면, 오브제는 자체 DB와 사용자 위치에 기반한 하나의 특화된 서비스 구조를 이루고 있다. 신 대표가 "우린 앱이 아닌 디지털 서비스를 개발했다"라고 큰소리 칠 수 있는 이유도 바로 이런 서비스를 그 어디에서도 카피하기 쉽지 않고, 요소마다 중요한 철학을 담아냈기 때문이다. 그는 이것이야말로 장기적인 승부의 갈림길이 될 것이라고 장담한다.

최근 키위플은 관점을 나눈다는 취지로 오브제 서비스를 한층 강화하고, 관계지수를 높여주는 대규모 서비스 개편도 단행했다. 폭넓게 쌓이는 글과 사진 등에 대한 정량적 분석, 평가기술을 확보했다. 신 대표는 데이터마이닝으로 사용자의 진짜 생각과 느낌을 읽어내기 위해서 또 하나의 비즈니스 모델을 기획하고 있다.

2010년 봄, SK텔레콤이 스마트폰 서비스를 개시하면서 시청자들을 사로잡는 CF를 내보낸 적이 있다. 그 CF의 주된 서비스 모델이 바로 오브제였다. 이후 SK텔레콤은 사용자로 하여금 스마트폰의 다양한 활용방법을 어필함은 물론 안드로이드폰 초기에 많은 가입자를 확보할 수 있었다. 1천만 다운로드는 밀리언셀러 앱으로 향하는 교두보이기도 하다. 그 1천만 다운로드를 넘느냐 못 넘느냐의 차이를 신 대표는 바로 사용자의 '습관의 차이'로 판단했다.

스마트폰 사용자 3천만 명 시대를 맞아 앱 하나가 사용자 다운로드 1200만 이상을 기록했다는 사실은 그 자체로도 각별하다. 자체 분석한 월 UV도 160만 회 이상이다. 자의든 타의든 두 사람 중 한 사람이 동일한 앱을 사용하고 있다는 것은 그만큼 자체 비즈니스 확장에 지대한 영향을 끼친다. 특히 오브제는 국내 벤처기업이 제작한 스마트폰 앱 중 카카오톡에 이어 두 번째로 다운로드 1천만을 넘긴 서비스다. 매월 100만 명씩 내려받는 추세로 볼 때 2012년 하반기에는 충분히 2천만 명을 돌파할 것으로 기대하고 있다.

최초로 슬라이드폰 아이디어를 내기까지

신의현 대표가 모바일과 연을 맺은 것은 2000년 SK텔레텍에 입사하면서부터다. 서울대학교 전기공학부 94학번인 신 대표는 졸업 후 SK텔레텍에서 모바일 기획업무로 사회에 첫 발을 뗐다. 2005년 SK텔레텍이 팬택에 인수되면서 잠시 팬택에 옮겼다가 다시 SK텔레시스로, 이후 최신원 회장 비서실에 근무하며 그룹 차원의 새로운 비즈니스 모델을 발굴하는 업무를 맡았다. 그가 SK텔레텍 시절부터 도맡았던 업무가 바로 휴대폰 상품 기획이다.

"대학 졸업하고 저도 대기업에 입사하면서 큰 꿈을 가지진 못했어요. 별 생각이 없었던 거죠. 남들처럼 제가 맡은 일만 열심히 하고, 월급 꼬박꼬박 나오고, 승진이나 잘 되면 좋겠다는 생각만 했습니다. 어느 날 제가 다니던 회사를 팬택이 인수하는 상황에 이르렀고 만감이 교차했습니다. 지금 보면 그때 상황이 제가 키위플이라는 벤처기업을 차려 오브제를 서비스한 기회가 됐던 셈이죠. 전 대기업에 다니면 언제나 든든할 줄 알았거든요. 제가 열과 성을 다했던 회사가 2005년에 M&A 과정을 겪는 모습을 보며 '내 의지로 뭔가 결정할 수 있는 일을 할 순 없을까' '내 한계를 뛰어 넘고 싶다' 하고 문득 머릿속을 스치는 게 있었습니다. 지금도 제가 대기업에 남았다면 어땠을까 하는 생각을 합니다. 뭐든지 적당히 하고 끝내지 않았을까 싶고, 지금 보면 오히려 잘되지 않았나 싶습니다."

기업 간의 M&A는 흔하디흔한 일이다. 대기업의 일거수일투족에 상장 기업들의 주가가 들썩이기도 한다. '대기업이 새로 A사업을 시작한다' 혹은 '대기업이 B사를 인수한다고 하더라' 같은 소문이 돌면 금세 주식시장은 민감하게 반응한다. 임직원들은 말할 것도 없다.
우리나라는 특히 과거부터 유교와 민족주의적 성향이 강해서 M&A에 대한 부정적인 경향이 많았다. 그러나 미국의 경우 제2의 닷컴신화를 지향하는 과정에서 M&A에 대한 시각도 다소 변화하고 있다. M&A는 근본적으로 인수자 입장에서는 이익과 약점을 극복하고 더 큰 성장동력을 얻기 위함이다. 피인수자 입장에서는 더욱 안정적인 기업을 통해 지속적인 기술 성장을 이루기 위해서다. M&A는 다시금 시장에 긴장을 불어넣고 주위를 환기할 수 있는 기회가 되기도 한다. 하지만 피고용자 시각에서는 그리 달가운 상황이 아닌 것만은 확실하다.

신 대표는 SK텔레텍 입사 당시, 본인의 뜻과는 다르게 모바일 상품 기획 부서로 발령받았다. 덕분에 스마트폰 시장의 기회를 잘 찾을 수 있었다고 떠올렸다. 여기에 평소 철학과 인문학에 관심이 많았던 것도 모바일 기획업무에 큰 도움이 되었다. 처음에는 모바일만 잘 활용하면 기능적으로나 디자인적으로나 편리하고 폼 나는 일상이 될 수 있다는 믿음 하나였다.

그는 사용자가 근본적으로 원하는 서비스를 개발하고 싶었다. 그래서 늘 고민하고 연구하고 메모했다. 평소 즐겨 읽었던 인문학 서적과 철학을 통해 급변하는 세상에 대해 되물을 수밖에 없었다. 그렇게 얻은 결론이 사용자가 모태가 되는 서비스였다.

신 대표가 SK텔레텍 재직 시절부터 지금까지 한 번도 잊지 않았던 가치는 실존주의 철학이다. 2002년 휴대폰에 처음 카메라를 장착해 사용자 편의성을 높였을 때, 그는 휴대폰 카메라 기술부터 접근을 달리해야 한다고 강조했다. 개발자가 단순히 기술적으로 카메라 기능이 가능한 휴대폰을 위해 부품을 축소하여 기술을 집약시켜 '기능'에 접근한다면, 사용자는 '이제부터 휴대폰으로 사진을 찍을 수 있구나' 하고 한계의 영역에서 멈춰버린다는 것이다. 이렇게 되면 말 그대로 단순한 '휴대폰 카메라'가 돼버린다. 그러나 신 대표는 휴대폰의 기본 성능부터 하나하나 짚어봐야 한다고 지적한다. 휴대폰은 기본적으로 커뮤니케이션 수단이 된다. 이미지와 영상으로 상대와 소통이 가능한 도구다. 지금은 당연한 사실이지만 신 대표는 사진 찍는 기술보다 찍은 사진을 상대에게 전송할 수 있는 기능에 더 중점을 뒀다. 이미지를 공유할 수 있는 기능에 콘셉트를 두고 모바일 기획을 한 것이다.

또한 신 대표는 세계 최초로 슬라이드폰을 개발한 장본인이다. 지금이야 터치스크린이 대세고 모두 이런 기술에 익숙하지만 2000년

중반만 해도 슬라이드폰은 혁신 그 자체였다. 가볍게 밀어 올리면 통화할 수 있는 슬라이드폰을 어떻게 개발한 것일까? 이 역시 그의 인문학적 사고에서 출발한다.

"굳이 답을 찾자면, 기술보다 사람의 마음에 더 관심을 가졌기 때문 아니었을까 싶습니다. 요즘 광고도 그렇고 서점에 가면 인문학으로 접근하자는 취지의 책을 많이 볼 수 있고, 그만큼 인문학은 상품 기획에도 큰 영향을 미칩니다. 게다가 일 자체가 저와 잘 맞았습니다. 사람에 대한 인문학적 고찰이야말로 사람의 기호와 선택을 반영할 수 있는 근본이 되는 것 같습니다. 기술 자체로 접근하지 말고 사용자가 어떤 욕망이 있고, 무엇을 바라는지 그 본질을 꿰뚫어봐야 합니다. 아마 요즘 나오는 스마트폰 모델은 또 달라지지 않을까요?"

폴더폰은 비교적 공간을 적게 차지하고 펼치면 기능이 확대되는 장점이 있다. 또 접으면 반으로 작아진다. 유일한 단점이 폴더를 펼치기 전에는 액정을 볼 수 없다는 것이었다. 이후 폴더 헤드에도 액정을 달았지만 시간 체크 외에는 큰 메리트가 없었다. 통화하다가 갑자기 폴더가 닫히면 순간 통화가 끊기는 일도 속출했다. 슬라이드폰은 이러한 단점을 수용할 만큼 획기적이었다. 폰을 열든 닫든 액정 하나로 해결할 수 있기 때문이다. 덕분에 그는 거금 2천만 원이라는 보너스와 입사 동기들보다 먼저 승진할 수 있는 기회를 얻었다. 그는 그것만이 인생의 전부인줄 알았다고 한다. 사실 그때까지만 해도 창업은 꿈도 꾸지 않았고 할 필요도 없었다.

그의 말처럼 사용자 입장에서 고민한 제품이 바로 슬라이드폰이었다. 액정이 하나다 보니 그만큼 부품비도 절감할 수 있었다. 본질적인

신의현 대표는 임직원과 동고동락하는 하루하루가 의미 있는 시간이다. 함께 먼 곳을 바라보며 늘 묵묵히 자리를 지켜주는 직원들이 고마울 뿐이다.

가치를 중요시하고 실존주의 철학을 높게 반영해 접근한 서비스, 이것이 바로 그가 중요시하는 인문학을 기초로 하는 기본 바탕이다.

'문사철 600'이라는 말이 있다. 전통 인문학 분야인 문학, 역사, 철학을 이르는 말로 제대로 된 지식인이나 교양인이 되기 위해서는 문학서적 300권, 역사서적 200권, 철학서적 100권을 읽어야 한다는 의미다. 요즘도 문사철은 서점가를 강타하고 있을 정도로 꾸준하게 스테디셀러를 유지하고 있다. 최근 경영은 물론 자기계발과 크리에이티브 분야도 인문학 바람이 불면서 세간의 관심도 높아지고 있다. 이렇게 인문학이 각광받는 이유는 인문학이 다른 문화에 대한 이해가 필요한 시점에서 여러 현장 자체를 이해할 수 있는 아이디어와 단초를 제공하기 때문이다. 인문학에 관심이 많거나 연관된 강좌를 듣는 사람 대부분은 인문학 자체에 대한 관심보다는 인문학을 현재의 업무에 반영하고 응용하기 위해서다. 신의현 대표는 학창시절부터 지금까지도 책에서 손을 뗀 적이 없다. 그렇게 오래 쌓인 잠재지식들이 오늘날 그의 열정과 사업, 인사이트에 큰 밑거름이 되고 있다.

"그럼 제가 나가서 하겠습니다"

M&A 전까지만 해도 누구나 자신에게 주어진 일만 열심히 해내면 그 누구도 간섭하지 않았다. 슬라이드폰 기획으로 충분한 동기부여도 됐고 상사에게 제안할 아이템을 차곡차곡 기획하기 시작했다. 사내에서 그의 언행에 대해 특별히 반대하는 이도 없었다. 그는 늘 윗사람에게도 '똑똑하고 귀여움 받는' 직원으로 평가받았다.

하지만 그는 회사의 M&A 이후 능동적으로 변하기 시작했다. 세상에 안전벨트는 없다는 생각이 앞섰다. 그는 최신원 회장 비서실 근무 당시, 직접 창업을 결심하게 되는 일을 겪게 되는데 그간 대기업에 근무하면서 목소리를 가장 높였던 때라고 회상한다.

"SK그룹 회장실에서 근무할 당시였어요. 회장님은 늘 새로운 서비스에 고민이 많으셨던 분이었습니다. 그렇게 회장실에서 2007, 2008년 사이 1년 반 정도를 SK그룹의 새로운 사업을 검토하는 업무를 맡았습니다. 당시만 해도 스마트폰 등 디지털 환경이 바뀌기 시작한 시기였기 때문에 저는 시기적으로 소프트한 콘텐츠 생산력을 키울 수 있는 큰 기회라고 봤습니다. 하지만 검토 결과 제 의견이 반영되지 않았습니다. 아마 회장님 역시 더 큰 이익의 비즈니스를 원하셨기에 대기업 입장에서 당장 연 100~200억 원 버는 사업은 접근 기회가 많지 않았을 겁니다. 그룹 차원에서는 '더블유'라는 휴대폰 하드웨어 생산에 더 집중하자는 결론을 내렸고, 이 일로 저는 창업의 결심을 굳혔습니다. 정말 놓치기 싫었던 아이템이었기 때문이죠.”

몸소 겪은 M&A 과정과 모바일 콘텐츠 사업, 이 두 가지가 신 대표가 잘 다니던 대기업을 나와 키위플을 창업하게 된 직·간접적인 요인이 됐다. 신 대표는 하드웨어 비즈니스보다는 콘텐츠 시장을 발 빠르게 선점해야 한다는 확신이 들었기 때문에 더 이상 조직에 몸담고 있을 자신이 없었다. 후회는 하지 않았다. 지금의 자신을 있게 해준 친정이기 때문이다. 본인이 그곳에서 더 중요한 역할을 했어야 했다고 반문하기도 했다.

‘지루하게 감내하기만 해야 하는 노동을 할 것인가’ 혹은 ‘도전할 만한 흥미진진한 게임을 할 것인가’에 대한 해답은 본인에게 달려 있다. 똑똑해 보이는 인재도 시간이 없다거나 너무 바쁘다고만 한다. 또는 가만히 앉아서 ‘이 사업은 리스크가 너무 커서 진행하기 어렵다’라든가 ‘자칫 실패할 확률이 있으니 기존 사업에 매진하자’라는 목소리나 현실에 젖어 ‘지금껏 잘해왔는데 새삼 새로운 일에 도전할 필요가 있을까?’ 하는 의견도 있을 수 있다. 하지만 이러한 목소리와 생각들이 모이면 어느 회사든 한치 앞도 내다볼 수 없는 위기를 만나게 마련이다. 그때만 해도 대부분의 대기업이 하드웨어 신제품 경쟁이 이뤄지던 시기였고, 그룹의 결정을 설득해 번복시키기는 벅찼을 것이다. 마침내 그는 결단했다. 나가서 하고 싶은 것을 해보겠노라고.

그가 SK텔레시스에 재직 중 습관처럼 메모했던 아이템은 대략 550여 가지에 이른다. 오브제 역시 그가 정리했던 아이템을 여러 개 결합한 모델이었다. 아이디어라고 해서 기억나는 대로 무작정 정리만 하지는 않았다. 하나의 아이디어가 머릿속에서 떠오르면 이를 논리적으로 세분화해 다양한 루트로 아이디어에 접근했다. 이후 트렌드와 시장에 맞춰 기술적으로 구현 가능한 필터로 아이디어를 조금씩 구체화했다. 보통 1~2주간 한 가지 아이템을 집중 구상하고, 이 범주 안에서 30~40개의 아이디어를 가지치기하는 방식이었다.

모바일 서비스뿐 아니라 해외 유통이나 의료사업, 혹은 당장 접근할 수 없는 분야까지 가리지 않았다. 그는 지금도 가끔 그것들을 꺼내본다고 한다. 아이디어 중에는 이미 3~4년 전 것임에도 충분히 시장성이 있는 것도 있고, 어떤 아이디어는 이미 다른 곳에서 시장에 출시한 것도 있다. 그는 늘 하고 싶은 것이 너무 많아 고민이다.

남들 못 가서 안달인 대기업에 사표를 던지고 아이디어 하나로 무작정 나온 그였지만 새로운 길에 대한 불안감은 없었다. 그러나 걸림돌은 예상하지 못했던 곳에 도사리고 있었다. 사업에 대한 아이템이 분명했기에 고민이 되는 것은 없었지만 오히려 '사람, 돈'이 가장 큰 고민거리였다. 먼저 함께 일할 수 있는 사람이 시급했다. 창업에 필요한 자금 확보도 문제였다.

그는 차분히 사람부터 모으자는 결심을 했다. 학교 선후배에게 의사를 타진해보기도 했다. 한 명 한 명 찾아가 사업 아이템에 대해 진지하게 설명했다. 단번에 OK 사인을 낸 이도 있었고, 재차 삼차 결정을 내리지 못했던 이도 있었다. 사업에서 꼭 필요한 사람은 삼고초려도 불사했다. 마음 맞는 이들과 함께 일할 수 있다는 것은 창업에서 큰 복인 셈이다.

그래서 신 대표는 최현정 이사를 볼 때마다 늘 고마운 마음이다. 서울대 컴퓨터공학과 출신으로 신 대표 1년 후배인 최 이사는 신 대표의 뜻을 알자마자 그와 함께할 결심을 굳혔다. 키위플에서 서비스 개발 기획과 대외적인 마케팅 업무를 맡고 있는 최 이사는 신 대표가

SK텔레텍 시절부터 함께 해왔던 막역한 사이이기도 하다. 신 대표가 SK텔레텍 2년차였던 시절 우연히 서울대 채용 과정에 참여했다가 알게 됐다. 최 이사는 당시 평사원이었던 신 대표가 한 채용박람회에서 발표하는 모습을 보고 그와 같은 부서에서 일하겠다고 떼를 썼다는 재미있는 후문도 있다. 그렇게 이어진 두 사람의 인연은 키위플에서도 계속되고 있다.

키위플의 CTO를 맡고 있는 최종환 이사의 경우도 단번에 OK 사인을 낸 케이스다. 자금이나 아이템보다 사람이 중요하다고 생각했던 그는 신 대표와 최현정 이사를 처음 만난 자리에서 인생을 끝까지 함께 걸기로 약속했다. 최현정 이사와 대학 동기인 그는 자타가 공인할 정도로 실력 있는 개발자였으며 키위플의 핵심 경쟁력이다.

"최종환 이사와 한배를 타는 데 든 비용은 보쌈 한 접시와 막걸리 두 병이었던 걸로 기억합니다. 단번에 의기투합했던 것이죠."

신 대표의 표현이 많은 것을 말해준다. 우여곡절 끝에 어렵사리 일곱 명이 모이자 서로 자금 마련을 위해 십시일반했다. 적게는 1천만 원에서 많게는 8천만 원까지, 그렇게 모인 돈은 2억 원이었다. 2008년 서울 어느 오피스텔에서 첫 발을 내딛고, 2009년 8월 본격적으로 창업의 닻을 올렸다.

창업 2개월 후인 2009년 10월, 서비스가 출시되기도 전 엔젤펀드 투자를 받았다. 그야말로 행운이었다. 3억 원이라는 큰 금액이었다. 일곱 명이 1년은 너끈하게 버틸 수 있는 금액이었다. 일반적으로 창업 후 2년 안에 3억 원 가량의 엔젤펀딩을 받는 것은 꽤 어렵다. 적어도 최소한의 시연이 가능한 프로토타입Prototype이 나온 후라면 벤처캐피털에서 투자하겠지만 말 그대로 사람과 아이템만으로 개인 투자자가 투자하는 개념이었던 것이다.

투자금을 더해 창업멤버 일곱 명은 당분간 오브제 개발에만 매진할 수 있었다. 그렇다고 오브제는 돈만으로 모든 것을 완성할 수 있는 모델이 아니었다. 기본적으로 지도 데이터가 필요했다. 최근에 들어서야 오픈 API 바탕으로 많은 관련 기술이 개방되어 있지만 당시만 해도 지도 데이터는 누구에게나 개방할 수 있는 데이터가 아니었다. 자동차 내비게이션에 장착되는 중요한 기본 베이스였기에 당시 자동차 한 대에 설치하는 데만 약 3~4만 원이라는 금액이 소요되는 고가의 데이터였다. 데이터 구축을 위해 거의 하루 단위로 지도 실무자가 전국 각지를 돌며 업데이트하고 이를 정제해서 반영해야 하는 어려움이 따랐다. 때문에 이를 무료로 다른 기업과 공유하거나 일반인에 제공한다는 것은 매우 비상식적인 개념이었던 것이다.

신 대표는 당장 SK M&C(SK마케팅앤컴퍼니)를 찾았다. 오브제를 서비스하는 데에 반드시 필요한 데이터였기 때문에 담당자를 설득할 수 있다는 충분한 자신감이 있었다. 그에게는 자신의 판단이 양쪽 모두에게 이득이 생길 것이라는 합리적인 로직이 있었다. 상대가 합리적인 사람이라면 합리적인 결정을 할 것이라 생각했다.

"합리적인 로직이란 단순히 '어느 동네에 어떤 매장이 있다'는 정적인 데이터를 벗어나 '그 매장에 대한 리뷰, 평점, 사용자들의 다양한 관점과 의사소통을 유도하는 매개물로서의 가치'가 더해져 지도 데이터 자체가 진화하는 것을 의미합니다. 이것이 향후 지도 데이터가 발전해야 하는 옳은 방향임을 설득했죠."

그는 담당자 앞에서 자신의 생각을 여과 없이 말했다. SK에서 지도 데이터를 지원하면 서비스가 어떻게 변할 것인지와 그 덕분에 SK M&C 역시 어떠한 효과가 있을지에 대해 담당자를 설득했다. 그의 설명을 듣고 난 담당자가 얼마 후 연락을 취해왔다. 지도 데이터를 무상으로 공급하기로 한 것이다. 그에게 기다리는 며칠은 긴장의 나날이었고 공급 연락을 받은 후에는 대학을 합격한 것보다 더 기뻤다고 한다. 드디어 오브제가 날개를 달고 비상할 수 있었던 것이다.

시장을 먹으면 돈은 따라온다

인터넷의 등장은 당시 대부분의 사람에게 놀라운 가치와 개념을 제공했다. 시간과 공간의 차이를 극단적으로 줄였을 뿐 아니라 그만큼 삶의 효용도 높였다. 그 무렵 '인지잉여Cognitive Surplus'라는 용어가 등장했다. 클레이 셔키는 자신의 책 『많아지면 달라진다』에서 "사람들의 여가시간은 약 1조 시간에 달하며 이는 매년 위키피디아 1만 개를 만들 수 있는 양"이라고 밝혔다. 또 "인터넷이 등장하기 전까지는 이 시간(인지잉여)을 대부분 텔레비전 시청에 이용했지만, 인터넷이 등장하고부터는 경제, 정치, 문화, 사회운동 등 우리 삶 모든 분야에서 어떤 커다란 변화와 기회를 불러오고 있다"라고 덧붙인다.

하루 유튜브 동영상 시청이 20억 편, 페이스북에서 공유하는 정보가 한 달에 300억 개에 달한다. 이로써 삶의 영역은 온·오프라인을 넘나들며 이제 사람들은 안방에서 편안하게 쇼핑도 하고 게임도 즐기며 영화를 보고 SNS를 이용해 커뮤니티를 형성한다. 문제는 순기능이 있다면 역기능도 존재한다는 것이다. 그 사이 여러 웹서비스가 등장하면서 사람들은 또 다른 웹의 영역인 가상세계에 몰입하게 됐다. 세컨드 라이프가 등장하고, 미니홈피, 아바타, 각종 SNS가 바람몰이를 하면서 대중은 이 서비스에 열광했다. 하지만 이 모든 것은 가상세계일 뿐 현실이 아니다. 점차 현실과의 괴리가 깊어지면서 사회문제로 대두되는 경향도 있었다.

신 대표는 누구보다 이 사실을 잘 알고 있었다. 오브제는 사용자입장에서는 다소 어려운 서비스로 인식되는 경향이 있다. 말 그대로 현실을 기반으로 다양한 디지털 서비스가 구현되기 때문이다. 그곳에서 SNS로 서로 이어갈 수 있다는 서비스 개념 자체는 사용자에게 충분히 낯설기만 했다. 하지만 신 대표는 시간이 지나면 오브제도 사용자에게 익숙한 개념으로 다가갈 것으로 보고 있다. 4~5년 전만 해도 트위터가 140자 단문 블로깅 서비스를 제공했을 당시에는 그 누구도 이런 서비스의 효용과 가치를 실감하지 못했다. 그런 맥락에서 오브제도 마찬가지가 아닐까?

"생각해보세요. 게임이나 미니홈피 등은 좋은 서비스임에 분명합니다. 하지만 이 모든 건 가상세계일 뿐, 현실의 '제 자신'이 아닙니다. 물론 이 서비스들이 나쁘다는 것이 아닙니다. 현실과 매칭된 서비스를 통해 얼마든지 효용과 가치를 제공하고 싶었고, 사용자들을 현실로 안내하고 싶었습니다. 가상세계에 갇혀서 본질을 잃은 채 시간을 보내는 것이 아닌, 진짜 세계에서 나를 찾아갈 수 있는 유용한 서비스 말입니다."

오브제를 통해 그가 제안하는 온·오프라인 간 콘텐츠 매칭 아이디어는 다양하다. 한 예로 예술의 전당을 지날 때 오브제를 띄우면 그 위에 자세한 공연 내용이 뜨는 등 정보의 직·간접적 접근도 가능하다. 사실 이 서비스 제공을 위해 가장 필요한 기술 중 하나가 바로 증강현실 서비스인데, 신 대표가 이 서비스를 처음 론칭할 때만 해도 증강현실이라는 단어는 따로 쓰지 않을 정도로 생소한 개념이었다. 신 대표 입장에서는 그저 눈에 보이는 것을 휴대폰을 통해 접근하는 서비스를 구현했을 뿐이었고, 이것이 추후 인터페이스가 되어 증강현실이라 부르는 도구가 된 것이다. 그렇게 현실세계를 기반으로 하다 보니 사용자의 위치값이 중요한 변수로 떠올랐고, 오브제는 그만큼 위치기반서비스로 구분되기도 한다. 분명한 것은 오브제야말로 현실을 기반으로 한 실존철학을 최대한 담아내려 한다는 사실이다.

군이 인문학적 사고와 철학을 기초하지 않아도 되는 서비스도 많다. 그래서 개발자라면 한 번쯤 '세상을 변화시킬 만한 멋진 서비스를 개발할 것인가?' 혹은 '많은 사람이 재미있게 내려받을 수 있는 서비스를 개발할 것인가?' 하는 문제에 봉착한다. 이런 고민은 당연하다. 수익을 발생시켜야만 하기 때문이다. 전자의 경우 비즈니스 모델 구축 시간이 많이 걸리며 일일이 관계자들에게 구체적인 서비스 모델을 설명, 교육하고 초기 홍보에 대한 파급력도 함께 어우러질 수 있도록 고민해야 한다.

후자의 경우 이런 부담이 덜하다. 흥미 위주의 접근이 우선적이며 당장의 사용자 수 확보에 집중할 필요가 있다. 장기적인 아이템 고민과 비즈니스 모델은 상대적으로 약하다.

일본전산 나가모리 시게오 회장은 "어느 회사든 CEO는 현재에 3할, 미래에 7할 정도의 비율로 회사(서비스)에 투자해야 한다"라고 언론에서 밝혔다. 그래야만 기업 내 조직들도 더욱 역동적이고 성장할 수 있는 패턴으로 전환할 수 있기 때문이다. 그것이 바로 시장 주도권을 줄 수 있는 마스터키인 셈이다.

신의현 대표 역시 그간 상품 기획 업무를 담당하면서 늘 2~3년 후의 세상을 내다보는 습관을 들였다. 이 습관은 혜안을 절로 키우는 계기가 됐다. 업종의 변화와 시장의 변환, 소비자의 인식과 트렌드, 선도 기술, 등장이슈 등 나름대로의 정보를 체계화, 구체화했다. 그것이 곧 시장의 선점효과와 함께 기술 집약적인 산업을 리드할 수 있다는 믿음에서다. 경제학자 마이클 포터가 제시한 '경쟁 우위 전략'이나 '집중화 전략과 일맥상통한다. 앞으로 시장을 리드할 선행기술을 선점해 앞으로 사용자와 기업이 원하는 기술을 먼저 확보한 후 교섭권까지 쥐는 전략이다. 그래서 신의현 대표는 처음부터 시장의 주연이 되는 전략을 차례로 밟아나갔다.

대기업 시스템, 살릴 건 살린다

그는 여러 가지로 대기업 과장 시절과 벤처기업 대표이사의 차이를 느끼는 데 그리 오랜 시간이 걸리지 않았다. 벤처기업 대표지만 연봉은 정확히 대기업 과장 시절 연봉의 반토막이었다. 현실은 녹록치 않았다. 그 과정 속에서 무엇보다 아내의 믿음이 컸다. "당신이 하는 일이라면 믿어요"라는 말 한마디는 늘 힘이 됐다. 사업도 사업이었지만 나날이 성장하는 아이들이 아빠의 자리를 그리워하는 것을 볼 때마다 마음이 아팠다. 벤처기업 대표치고 누구 하나 본의 아니게 '주말 아빠' 돼보지 않은 사람이 있을까? 퇴근도, 휴일도 없이 일하던 어느 날 간신히 짬을 내 아이들과 하루 종일 놀아준 이튿날 들은 한마디는 "아빠, 또 언제 와?"였다. 하지만 아이들에게 아빠로서 충분한 롤 모델이 되어주는 것도 필요하다고 생각했다. 목표를 향해 부끄럽지 않게 도전하는 아버지, 이 정도면 열심히 살려고 노력했던 아버지로 기억해 주리라 믿었다.

은행 거래 역시도 체감온도가 느껴졌다. 아무래도 불안한 벤처기업 대표보다는 대기업 과장 신분이 은행 입장에서는 더 신용을 가질 수밖에 없는 게 당연하다. 현실과 이상의 간극은 분명했다. 무엇이든 준비만 단단히 한다면 기회는 많고 그만큼 성공확률도 높아진다며 그럴 때일수록 초심을 잃지 않았다.

"제가 창업하면서 느낀 것 중 하나는 전혀 비즈니스 경험 없이 자신의 아이템과 개발만 믿고 섣불리 뛰어들지 말자는 점입니다. 흔히 대학 3~4학년 학생들이 섣불리 창업하는 분위기로 많이 휩쓸려 가는데, 성공이든 실패든 앞서 경험한 선배들의 조언을 찾아 새겨들어야 한다는 것입니다. 그것이 조금이라도 더 성공적인 창업으로 인도하는 힘이 될 것입니다. 또 조금이라도 사회경험을 해본 사람이 창업에서 더 유리하다고 봅니다. 그렇다고 저처럼 10년 동안 회사생활을 하라는 얘기가 아니라, 적어도 회사의 시스템이 어떻게 굴러가는지도 보고, 사회의 냉정함도 맛보고, 인맥도 쌓아야 한다는 것을 강조하고 싶습니다."

대기업에서는 자신이 꿈을 펼치기에는 조직적인 한계가 있지만, 벤처는 다르다. 혹자는 대기업에서 자신의 능력을 50~60%만 쓰고, 큰 실수만 하지 않으면 열심히 일하는 인재로 포지셔닝된다. 반면 벤처는 온 힘을 기울여야 하고 맞상대할 부분도 많다. 자신의 한계를 스스로 어디까지인지 시험해볼 수 있는 독무대에 오르는 셈이다. 그는 누구든지 의지가 확실하거나 한계를 시험해보고 싶은 이가 있다면 언제든 밖으로 나오라고 조언한다. 다만 준비는 철저하고 단단하게 해야 할 것임을 강조한다.

 신 대표는 벤처기업을 몸에 꼭 맞춘 시스템이 되도록 재구성하는 과정에서 대기업 시스템 중에서 당장 벤처기업에 적용할 수 있는 툴을 하나씩 도입 중이다. 더러 대기업의 시스템과 집약된 노하우를 오래된 낡은 관행이나 의사결정과 실행을 지연시키는 요인으로 여겨 그다지 중요하게 생각하지 않는 이도 있다. 하루하루 모든 인력과 기술을 집중적으로 쏟아 부어야 하는 벤처기업의 입장에서는 이러한 절차가 까다롭고 소모전일 수도 있다. 이에 대해 신 대표는 모든 것을 습관의 문제라 보며 적절한 분배가 필요한 것이라고 지적한다.

 대기업의 경우 마케팅 부서가 개발 부서와의 협업이 필요하거나 도움을 요구할 경우, 절대 전화나 메일로 요청하지 않는다. 품의서와 기안서로 발제를 받아 정식으로 통보하여 문서화한다. 아웃풋이 제대로 지켜져야 만에 하나라도 똑같은 실수를 반복하지 않을뿐더러, 비용이나 인력 등 자원의 집중과 배분을 가시적으로 체계화할 수 있기 때문이다.

 이러한 시스템은 하루 이틀 만에 구체화한 것이 아니라 시간에 비례한 산물이라는 것이 신 대표의 생각이다. 또 이것이야말로 대기업의 플랜에 큰 틀이 되는 근간이 된다는 것도 몸소 체험했다. 그는 번거롭더라도 대기업의 좋은 시스템을 벤처기업에 도입시켜 충분히 발전시킬 수 있다고 확신한다. 물론 그도 아무리 좋은 시스템이라도 회사의 장기적인 발전에 저해된다면 과감히 배제해야 한다고 말한다. 다만, 체계를 잡고 매뉴얼화하는 일은 필요한 일로서 과감하게 도입할 가치가 있다고 보는 것이다.

 대기업에서 자주 사용하는 업계 및 업무 용어의 교육도 마찬가지다.

"보통 대기업에 입사하면 사내 용어부터 차근차근 가르칩니다. 마케팅이 흔히 뭘 의미하는지, 영업이 뭔지…. 이러한 용어를 사전에 공유하지 않으면 추후 커뮤니케이션에 큰 문제가 생깁니다. 작은 회사라도 소통의 저해를 막고 기업누수를 줄이기 위해 꼭 필요한 부분입니다. 물론 시스템이나 교육이나 저마다의 창의력을 저해하지 않는 범위 안에서 말이죠."

한 회사의 대표가 되고 나면 그 규모가 크든 작든 조직을 맡고 있는 의사결정은 매우 중요하다. 차후 회사 비즈니스 방향이나 직원채용 문제에 대해서도 신중을 기해야 한다. 그런 면에서 그는 시작이 순조로웠던 편이다. 처음부터 함께 했던 이들은 물론 속속 합류한 전 직원과 이러한 이슈들에 대한 공감대를 이미 형성했기 때문이다. 할 수 있는 일이 아닌, 하고 싶은 일을 하고자 하는 이들이 모였기 때문에 가능한 것이었다.

지식 플랫폼, 집단지성의 아고라

트위터와 페이스북이 사람과 사람이 팔로우하는 개념이라면, 오브제는 사람이 장소를 팔로우한다. 같은 장소에 모여 그날그날 소통한다. 스마트폰으로 언제든 자신이 원하는 상품, 매장, 음식점, 경기장 등 관련 정보를 보고 그곳만의 이슈를 담아낼 수 있다. 한마디로 사용자가 주변에서 자신과 연계성을 찾을 수 있도록 도와주는 서비스다. 하지만 오브제는 길 찾기나 소셜커머스 등 내비게이션 기능과 정보 자체에 초점을 맞추지는 않았다. 사람과 사람이 만날 수 있는 장소를 중심으로 서로 대화하고 관계를 쌓아갈 수 있는 SNS를 지향한다. 기존의 위치기반서비스를 볼 때 모르는 사람이 모르는 장소에 남긴 '흔적'에 내가 관심을 기울이는 것이라면, 오브제는 모르는 사람이 내가 아는 장소에 남긴 '흔적'에 초점을 둔다. 공통의 장소에서 쏟아낼 수 있는 관심사로 광범위한 대화와 친구 맺기가 가능한 서비스다.

그 장소에 저마다 매일 흔적을 남기다 보면 그것이 쌓이고 쌓여 또 다른 우리만의 삶의 흔적이 되고 발자취가 된다. 또 특정인이 좌지우지할 수 없는 공공의 블로그가 된다. 즉 중요한 인류의 콘텐츠가 생기는 셈이다. 향후에는 반상회나 간단한 소그룹 회의도 복잡한 도구나 절차 없이 오브제 하나로 가능하지 않을까?

인터넷의 기본 가치는 시간과 공간을 초월함으로써 사회, 경제적 비용을 낮추고 정보화를 앞당긴다는 데 있다. 반면, 가상의 데이터로만 존재하면서 신간과 공간을 무의미하게 만드는 인터넷의 허구적 속성은 사람들로 하여금 현실과 무관하게 시간을 보내고 정보를 찾는 가상 서비스를 지향하는 삶을 증가시켰다.

오브제는 이러한 개념에 정면으로 맞선다. 현존하는 지식, 정보 인프라와 사용자의 현실을 연결한다. 정보 접근에서 기존 인터넷 창의 'URL'이 아닌 실존 객체를 매개로 한다. 오브제로 팔로우가 가능한 대상은 많다. 주변의 건물, 실내공간, 실외지형지물, 지역, 사람, 별/별자리, 제품 등을 AR, 지도, 목록으로 표시하고 클릭 시 각각의 오브제 페이지로 연동되는 기본 구조를 유지한다. 모든 객체를 약 1500가지 카테고리로 세분화하여 그 특성에 맞는 최적화된 서비스를 제공한다. 기본 서비스 외에도 사용자가 직접 페이지를 편집하여 등록할 수 있는 PC Programmable Service 기능도 넣었다. 다양한 외부 서비스가 입점해 검색 등 자신만의 서비스를 개시할 수 있는 플랫폼인 셈이다. 무엇보다 사용자는 오브제를 통해 감성적인 태그를 달 수 있고, 이를 통한 다양한 커뮤니케이션을 유도한다. 태그는 다양한 검색 수단으로 사용할 수 있다. 가령 주변에서 각선미가 예쁜 여성을 검색하거나, 멋진 슈트를 입은 남성, 쇼핑을 좋아하는 친구, 외근 중 급히 팩스를 보낼 수 있는 커피숍도 검색할 수 있다. 이 태깅 결과는 사용자의 집단지성을 근간으로 한 감성적인 플랫폼으로 이어진다.

오브제는 표면적으로 가입자 기반의 증강현실, 위치서비스, SNS이면서 동시에 B2B 광고와 홍보·마케팅 플랫폼과 커머스 게이트 구조로 이루어져 있다. 시간, 위치, 매장, 상품 등 사용자를 기반으로 한 새로운 광고 플랫폼이기도 하다. 한 예로 광고주는 상점을 노출하거나 지역광고, 실시간 쿠폰 발급을, 사용자는 관련 정보를 얻고 실시간 구매가 가능하다. 실물을 기반으로 사용자와 광고주 간 직거래도 가능하다. 한 여름에도 특정 빌딩에 눈 내리는 특수효과로 가시적인 노출도 가능하며, 가상간판과 가상 옥외광고도 설치할 수 있다.

이처럼 오브제는 B2B, B2C를 아우르는 경제 생태계 구축을 통해 사용자의 집단지성에 따라 무한한 실세계의 정보를 축적하고 이를 기반으로 플랫폼 구축이 가능한 서비스다. 이동통신사의 수많은 부가서비스(SMS, 커뮤니티, 엔터테인먼트, 금융/재테크, 학습/복권/운세, 쇼핑/쿠폰, 교통/안전 등) 중 몇 가지는 오브제의 라이프 맵 덕분에 새로운 형태로 업그레이드되거나 새로운 서비스가 만들어질 수 있다.

"당장 소소한 광고를 붙여 돈을 벌 생각은 없습니다. 사용자들에게 노골적으로 광고를 통해 불편함을 주고 싶지 않았던 것뿐입니다. 아직 오브제가 완벽하지는 않습니다. 질적, 양적으로 더 많은 데이터를 구축해 튼튼하게 입지를 다져야 합니다. 하루에도 수건씩 광고 문의가 오고 있는데, 마음만 먹으면 당장 월 3~4억 원은 손에 쥘 수 있겠죠. 하지만 멀리 내다보고 싶습니다. 사용자가 원하고, 더 완벽한 서비스를 구축할 수 있는 플랫폼을 확실히 다져놓는 게 순서입니다."

그는 당초 생각하고 있는 서비스 플랫폼에 대한 고집도 분명하지만 서비스 질적 측면에 대한 욕심이 더 완고하다. 무엇보다 사용자에게 꼭 필요한 광고를 하고 싶어 한다. 건강한 오브제 생태계를 조성하겠다는 의미다. 지금도 지역 곳곳에서 로컬광고를 위한 문의가 잦다. 하지만 구체적인 기준도 없이 이를 모두 수용한다면 어떻게 될까? 플랫폼의 정착 없이 광고만으로 도배된다면 사용자는 어떻게 반응할까? 그래서 신 대표가 정한 기준이 바로 정보를 80%로 높이고, 광고를 20%로 낮추는 것이었다.

또 위치정보를 기반으로 하기에 개인정보에 대한 위험한 부분도 감지하고 주의해야 한다. 개발사 입장에서는 위치정보법 접근이 쉽지 않다. 기업 입장에서는 법 자체는 잘 알고 있지만, 어떠한 조항이 사업에 영향을 미칠지 잘 모르고 있는 경우가 다반사이다. 주민번호와 전화번호만 해킹해도 보이스피싱이 가능한데 심지어 위치까지 알려진다면 위험요소가 크다며 현실규제에 애매한 부분이 있어 법적 준수를 위해 자체검열을 강화하고 있는 실정이다. 한편으로는 정책적인 면이 사업자에게 장벽으로 남지 않도록 개인정보를 보호하는 틀 안에서 행정절차를 완화해야 한다는 목소리도 있다. 그렇기 때문에 서비스 규제 시 위험성 여부를 파악할 수 있는 구체적인 법제적 기준이 마련되어야 할 것이다.

이러한 연유로 신 대표는 오브제를 당장 수익화하지 않을 방침이다. 트위터처럼 대중이 광고의 부담 없이 사용하되, 광고가 광고로 느껴지지 않는 광고를 지향하고 싶은 것이다. 오브제 역시 대중에 깊이 파고든 후에 단계를 밟아 광고를 집행할 계획이다. 신 대표는 한 달 회사를 유지하는 데 드는 비용이 1~2억 원 사이인 것을 감안할 때 분명 쉽지 않은 결정이었지만, 오브제를 처음 론칭했을 때의 각오와 사용자 중심의 서비스라는 신념에는 변함이 없다. 사용자가 조금도 불편해서는 안 된다는 신 대표의 소신이다.

오브제, 개발에서 안드로이드폰 탑재까지

2010년 2월, 오브제의 운명이 달린 역사적인 사건이 발생한다. 오브제가 금세 1200만 사용자를 기록할 수 있었던 원동력이 된 사건이었다. SK텔레콤 안드로이드폰에 오브제가 처음부터 탑재되어 출시했던 것이다. 2011년 12월에는 탑재단말기 수가 800만 대를 기록하기에 이른다. 별도로 안드로이드 600만 다운로드와 아이폰 160만 다운로드 사용자와 함께 총 사용자 1천만, 월 UV 160만 이상을 기록한다. 매일 10만 명, 주간 50만 명이 오브제를 사용한 셈이다. 신 대표는 오브제를 SK텔레콤 스마트폰에 탑재하기 위해 어떠한 노력을 펼친 것일까?
　사실 신 대표는 오브제를 SK 안드로이드폰보다 KT 아이폰용으로 먼저 개발이 끝난 상태였다. 당시에는 아이폰 첫 출시로 스마트폰의 바람이 거세게 불던 때였다. 이에 대응하기 위해 SK텔레콤은 안드로이드폰 출시 전에 확실한 킬러 콘텐츠를 찾고 있었다. 웬만한 앱은 모두 아이폰에서도 이미 출시된 것들이었기에 차별화하기가 쉽지 않았던 것이다. 다시 말해 안드로이드폰 특유의 매력과 독특함, 차별화할 수 있는 앱이 필요했던 것이다.

그러다 오브제에 대한 소소한 이야기가 SK텔레콤 신규사업 담당자 귀에 흘러 들어갔다. 즉시 SK텔레콤 신규 사업본부로부터 신 대표에게 연락이 왔다. 이후 일은 일사천리로 진행됐다. SK텔레콤 측에서도 자체 스마트폰 보급 확산을 위해 반드시 오브제와 손잡아야 했다.

SK는 신 대표에게 오브제의 기본 서비스 탑재와 함께 TV 광고 등 다양한 프로모션을 제안했다. TV 광고가 어디 한두 푼으로 해결할 수 있는 문제인가? 신 대표도 그 자리에서 OK했다. 다만, 담당자는 아이폰용 오브제 출시는 조금 늦춰달라고 제안했다. 이에 신 대표도 SK 측에 몇 가지 사안을 제안했다. 사용자에게 돈을 받지 말 것, 일정 기간 동안 유예기간을 갖는 대신 그 후에 다른 통신사에도 개방할 것, 오브제의 해외 진출시 도와줄 것 등 세 가지였다. 이후 신 대표는 오브제의 아이폰 앱스토어 등록을 1년 가량 뒤로 미뤘다. 이 서비스는 SK텔레콤 오픈마켓인 T스토어를 통해 사용자들에게 2010년 2월부터 무료로 제공됐다.

"저희로서는 전혀 마다할 필요가 없었던 제안이었습니다. 초기 오브제를 마케팅하는 데 큰 도움을 받았습니다. 또 저희 기술을 높이 평가해 주셔서 고마웠습니다. SK텔레콤이 모바일 시장 확장을 위해 어떤 콘텐츠를 필요로 할 것인지 연구했어요. 또 그쪽에서 먼저 연락할 수 있도록 일부러 조금씩 유도한 면도 있었죠. 초기 자본금 2억 원에 이제 막 투자받은 3억 원은 고스란히 오브제에 쏟아야 했기 때문에 금액상 TV 광고는 필요했지만 여력이 없었죠. 그래서 어떻게 하면 큰 회사에 업혀갈 수 있을까 고민했어요. 그러다가 생각보다 빨리 연락이 왔고, 좋은 제안을 받았죠."

2010년 2월부터 SK텔레콤 안드로이드폰에 탑재된 오브제 TV CF

그래서 탄생한 광고가 바로 어느 빌딩 안에서 동료인 한 남자직원이 주변 건물을 오브제로 쭉 비추다 장난삼아 여직원을 향하는 순간 여직원이 그의 배를 툭 치는 장면이다. 그러고 나서 뜨는 마지막 메시지. '세상 속까지 다 보이는 증강현실, 오브제OVJET'.

SK텔레콤과 키위플은 오브제를 통해 바터barter의 개념으로 서로에게 윈윈 전략을 세웠다. 당시 아이폰용 증강현실 서비스 앱으로는 지하철 입구에 대한 정보를 제공하는 'Odiya'나 커피전문점 정보를 제공하는 'iNeedCoffee' 등이 있었는데, 사실상 극히 제한된 정보를 제공하는 데 그치는 수준이었다. 또한 사용자의 실제 시야를 고려하지 않아 실제 가시적인 대상에 대한 정보와 위치서비스를 정확히 제공하기 어려웠다.

오브제는 이와 다르게 집중적으로 차별화를 꾀했다. 첫 탑재 당시 100만 개의 건물 및 입점 점포 등을 카메라에 보이는 화면과 실제 건물을 정확히 매칭하여 검색정보를 제공했으며, 지도모드로 전환하면 보행자용 내비게이션으로도 활용할 수 있어 KT 아이폰에 대항해 SK텔레콤의 사용자 확보에 적잖은 영향을 미쳤다.

2012년 현재 오브제는 갤럭시S2를 끝으로 자동으로 탑재되지는 않는 상태다. 자동 탑재됐을 때는 사용자 수보다 사용자가 만족할 수 있는 주기적인 서비스 업데이트에 주력했다. 아이폰, 안드로이드폰에서 오브제 업데이트 비율로 사용자 수치를 계산하면 약 2 : 3 수준일 것으로 판단하고 있다. 아이폰은 줄곧 탑재되지 않은 상태였음에도 상대적으로 개발자의 진입장벽이 안드로이드보다 높은 것을 감안했을 때 이 수치도 상당히 높은 편이다.

뼈가 되고 살이 되는 콘텐츠 제휴

오브제는 주 연령층을 10대 후반~20대 초반으로 분석하고 있다. 이 연령대는 제3자에게 의미 있는 정보전달이나 생산보다 삶의 소소한 이야기를 공유하고 정감을 자유롭게 나누는 세대다. 가장 최근 업데이트(2012년 5월, 3.1버전)에서는 누구나 쉽게 오브제를 구동할 수 있는 데 중점을 뒀다.

　다양한 콘텐츠 수급을 위해 오브제는 2011년 7월, 국내 최초로 또 하나의 프로젝트를 선보였다. 연합뉴스와 함께 위치기반서비스 제공을 개시한 것이다. 오브제를 통해 주요 사진 기사를 카메라 화면에 겹쳐 보여주는 신개념 뉴스 서비스다. 국회의사당이나 잠실야구장, 숭례문, 광화문, 세종대왕상 등 스마트폰을 들고 오브제를 그 앞에서 구동하면 관련된 연합뉴스의 기사와 사진 콘텐츠가 대상 앞에서 겹쳐 나타난다. 이를 통해 해당 장소나 사물에 대해 과거 특정 사건은 물론 현재와 과거를 비교해볼 수 있다. 이를 교육이나 역사 자료로 참고할 수도 있다.

　"저희는 좋은 콘텐츠 데이터를 확보하고, 연합뉴스는 기사 서비스의 영역을 넓히는 것이 목표입니다. 매일 300~400개의 기사 서비스를 통해 실시간으로 사용자에게 관련 정보를 전달합니다. 물론 그 기사에는 위치값이 함께 들어가 있죠. 혹시라도 실시간으로 기사가 업로드되는 것이라면 그 현장을 직접 가볼 수도 있어요. 위치기반 플랫폼으로서 의미 있는 서비스라고 생각합니다. 우리가 언제 어디서든 이동할 때마다 주변의 소식을 접할 수 있죠. 새로운 차원의 뉴스 보급 통로가 됐습니다."

증강현실 서비스와 뉴스 기사의 접목은 색다른 서비스였다. 사용자 주변에 기사 자체를 띄움으로써 여러 사람과 공감을 나누고 이슈를 공유할 수 있는 기반을 확장함으로써 더욱 플랫폼으로서의 역할을 할 수 있는 단초를 마련했기 때문이다. 이제 시대가 변화해 의사들도 옛날처럼 메스만으로 수술하지 않는다. 전쟁에도 첨단무기가 동원된다. 앱도 마찬가지다. 연합뉴스 콘텐츠 탑재의 사례에서 보듯 사용자 위주의 획기적인 서비스를 개발해야 하고, 사용자를 만족시키는 일을 최우선해야 한다.

오브제의 콘텐츠 제휴는 여기서 멈추지 않는다. 스카이/티켓몬스터에 오브제 SNS 마케팅플랫폼 제공, 팔라딘/KTH/모비클/코코네/컴투스 등 모바일게임 업체와의 제휴 이벤트, 로엔 엔터테인먼트와 멜론 인기 Top 10 차트 제휴, 기프티콘/T-WiFi 존/T-멤버쉽 등 편의기능 제휴, OK 마이샵(SK M&C) 등 상점 정보 연동 제휴, 〈맨인블랙 3〉 등 영화 콘텐츠 프로모션 제휴가 진행 혹은 예정되어 있다.

오브제는 초창기부터 사용자와의 적극적인 커뮤니케이션으로 꾸준한 업데이트를 이어오고 있다. 2012년 한 해만 서너 번의 업데이트가 예정되어 있다. 사업이 확장하면서 그만큼 사용자 요구에 맞춰 수시로 업데이트 한다. 그래서인지 신의현 대표는 오브제에 대해 '영원한 베타서비스'라고 일컫는다. 쉽고 재미있는 콘텐츠의 강화 등 오랜 시간 차곡차곡 반영해야 할 것들이 많기 때문이다. 그렇다고 서비스 자체가 너무 쉬우면 자체의 색을 잃을 수 있어 기본색은 유지하되 문제점을 하나하나 잡아갈 생각이다. 최근에는 사용자가 페이스북, 트위터, 미투데이, 카카오톡 친구들을 오브제에 초대하거나 사용하고 있는 친구를 알려 쉽게 친구들과 정보를 공유하도록 했다. 이전 버전이 주변 친구 중심이었다면, 최근 버전에서는 지인 중심 네트워크를 통해 인적 네트워크를 강화한 것이다. 글쓰기 메뉴 또한 직관적인 UI로 개편했다.

1966년 예일 대학교 경제학 과목에서 C학점 받은 보고서를 아이디어 삼아 시장 점유율 40%, 22만 명 이상의 직원이 근무하는 기업 페덱스로 키운 창업자 프레드 스미스Frederick Smith는 "세상에 정해진 길은 없다. 또 정답은 없다. 시도해보지 않고 중단하는 것과 해보고 중단하는 것과는 큰 차이가 있다"라고 했다. 전자는 해보기도 전에 성공할 수 없는 이유를 먼저 댈 것이며 이는 그만큼의 자원의 낭비가 된다. 후자는 그 시간에 어떻게 하면 사용자를 좀 더 끌어낼 수 있을지 고민한다. 그 과정에서 경험도 쌓인다. 지금은 작은 각도의 차이지만 두 사선을 길게 뻗어본다면 분명 큰 각의 차이를 느낄 수 있다.

신 대표 역시 하나의 아이디어를 시장에 내놓을 때는 '모 아니면 도'의 판단보다 어떻게 시장에 어필할 수 있을지 차분히 접근한다. 동시에 비즈니스 모델도 함께 고민한다. 이후 플랫폼을 구상하고 질과 양적인 카테고리를 탑재 후에 사용자의 선택을 기다린다. 직접적인 반응이 없으면 다른 길로 다시 한 번 매듭을 짓는다. '라이트, 레프트'의 차이가 바로 오늘날 1200만 명이라는 사용자를 확보할 수 있었던

2011년 1월 8일 미국 ABC 방송에서 보도한 오브제

비결이다. 그가 여러 이유로 중간에서 포기했다면 이 서비스는 영영 볼 수 없었을지도 모른다.

오브제는 2012년 안에 API를 개방하여 다각적인 비즈니스 모델을 확장할 계획이다. 오브제도 일종의 SNS 성격을 띠고 있기 때문에 서로 주고받는 콘텐츠가 중요하다. SNS 안에 페이스북, 트위터, 카카오톡 등과 유기적으로 연계하기 위해 오브제의 API를 적절히 개방해야 할 필요성을 찾은 것이다. 접속 가능한 로드를 넓힌다는 개념이다.

"꼼수 M&A는 정중히 사양합니다"

오브제는 2011년 1월, 퀄컴의 자회사인 벤처투자 전문업체 퀄컴벤처스가 주최하는 '큐프라이즈QPrize'에서 1위를 차지, 우승상금 10만 달러를 거머쥐었다. 큐프라이즈는 무선통신산업 벤처기업 지원을 위한 글로벌 벤처 투자 경진대회로서 당시 한국에서는 첫 개최였다. 오브제는 우승 이후 미국 캘리포니아에서 열린 벤처기업 전시회 '데모DEMO' 컨퍼런스를 겨냥할 수 있는 발판도 마련했다. 당시 주최사인 퀄컴벤처스는 아이디어가 참신하고 경영진이 우수하며, 사업화를 위한 준비항목에서 오브제를 높이 평가했다고 밝힌 바 있다.

이것이 펀딩으로 이어져 6월에는 퀄컴벤처스와 한국투자파트너스 공동으로 15억 원 규모의 투자를 유치하고, 중소기업청에서 미래 선도 기술혁신과제 협약을 체결하기에 이른다. 무엇보다 자금 못지않게 투자사의 네트워크와 건강한 어드바이스가 필요한 찰나였다. 어떤 벤처기업에서는 적은 투자금으로 높은 지분을 주면서까지 동종업계의 해외인사를 투자자로 유치하기도 하는데, 이는 모두 그가 갖고 있는 사회적 명분과 네트워크를 활용하기 위해서다.

이때부터 키위플은 증강현실 기반의 서비스를 목표로 오브제를 끊임없이 진화할 수 있는 탄력을 받았으며, 투자 역시 시기적으로 자금 확보 이상의 전략적 변곡점이 됐다. 세계시장에서 손꼽히는 증강현실 기술을 가진 퀄컴은 마침 2010년부터 개발사들에 증강현실 관련 개발 도구를 제공하고 있어, 키위플 입장에서는 자사의 기술을 통해 퀄컴의 통신칩이 들어가는 단말기에 최적화한 증강현실 서비스를 제공할 수 있는 단초를 마련했다. 이는 해외 벤처캐피털의 국내 진출을 위한 신호탄이 되기도 했다. 이 밖에도 오브제는 2010년 3월 머니투데이가 우수 모바일 앱 발굴을 목적으로 시행한 '2010 대한민국 모바일앱 어워드'에서 이달의 으뜸앱에 선정됐고, 연말 시상에서는 대상인 방송통신위원장상을 수상해 효자상품이 됐다.

그 무렵 다른 개발 앱도 좋은 소식으로 줄을 이었다. 2011년 5월, 소셜카메라 앱인 '매직 아워Magic Hour'가 미국 앱스토어 사진부문 3위, 전체 37위를 기록했고, 일본 앱스토어에서 2주 연속 금주의 앱으로 선정되었으며, 유럽에서는 1위를 차지하기도 했다. 11월에는 매직아워가 'KT 에코노베이션 3rd Fair 한중일 글로벌앱어워드'에서 입상하며 여타 앱 개발에 탄력을 받기 시작했다.

키위플은 유독 벤처캐피털 투자 문의가 잦다. 신 대표는 벤처기업의 실체만 분명하다면 그만큼 다양한 루트를 통해 바잉될 수 있는 기회는 많아졌다고 본다. 2000년 전후의 벤처붐과는 달리 이제는 해외 벤처캐피털의 움직임도 활발해졌고, 관련 언론사나 민간기업에서 각종 시상식과 지원센터의 도움을 받을 수 있는 길이 다양해졌다. 해외에서도 국내 신기술 벤처에 많은 관심을 갖는 편이고, 특히 많은 투자사가 한국의 모바일 시장에 예의주시하고 있다. 우리나라는 4세대 이동통신 롱텀에볼루션LTE을 전 세계에서 16번째로 시도한 국가이기도 하다. 이에 주요 통신 3사가 전국 통신망을 모두 구축하면 그만큼 스마트폰 속도도 빨라질 것이다. 또 모바일 앱 이용 역시 미국에 이어 세계 2위라는 점도 해외 투자사를 유혹하는 주요 요인으로 꼽힌다. 기업 M&A 제안도 잊을 만하면 한 번씩 찾아든다.

"지금까지 M&A 제의는 서너 번 정도 있었어요. 다만, 인수를 하는 쪽이나 인수를 당하는 쪽의 근본적인 이유가 '돈' 그 자체가 되는 M&A는 반대합니다. M&A를 선택할지 여부를 결정하는 단 하나의 기준은 우리가 만들고 운영하는 서비스가 더욱 진화하는 데 도움이 되는지 여부입니다. 그것이 아니라면 전 정중히 거절하고 싶습니다."

그가 M&A 과정에서 또 하나 중요하게 생각하는 것은 바로 키위플 임직원의 의사. 자신은 최종 결정만 할 뿐 임직원의 의견 하나하나가 중요하다는 생각이다. 신 대표와 임직원들은 출발부터 직접 그리고픈 세상에 대한 열정으로 시작했다.

신 대표는 자신이 세상에 내놓은 서비스를 자신의 힘으로 증명해내고 싶은 니즈가 강하다. 세상에 없던 서비스를 내놓았기 때문이다. 그의 이런 가치관을 엿볼 수 있는 일화가 있다. 2012년 10월 방송통신위원회가 소공동 롯데호텔에서 중소벤처기업 대표와 유관협회장 등과 함께 제2의 벤처 성공신화를 이루기 위한 다양한 제안이 오갔던 자리가 있었다. 벤처업계 CEO들은 이 자리를 통해 각자의 과정에서 겪은 고충과 건의사항을 내놓았다. 이 자리에서 신 대표는 '수익'이 아닌 '창의성'을 잣대로 벤처기업을 평가해야 하는데 아직 벤처캐피털은 전통적인 수익성을 잣대로 투자 여부를 결정한다고 지적했다. 최소한 정부투자만은 수익 평가비중을 낮춰 창의성을 통해 업계에 첫발을 내딛는 문턱을 낮춰야 한다는 주장이었다. 창의적인 아이디어와 기술력을 가진 개인, 혹은 벤처기업은 새로운 생태계의 중심축이다. 앞으로 이런 아이템을 바탕으로 젊은이들이 도전할 때 자금 때문에 그 아이디어가 묻히는 일이 없어야 한다는 것이 그의 생각이다.

타협 가능한 실력자가 인재상

당장 광고에 연연하지 않고, 어쭙잖게 광고를 열 계획이 없다는 키위플은 2011년 BEP를 넘겼다. 과연 어떻게 BEP를 넘긴 것일까? 자금의 여유를 떠나서 다음의 큰 스텝을 위해서 투자는 반드시 필요하다는 신 대표다. 아무래도 투자에만 연연할 수 없기 때문에 내부에서 SI 업무도 병행을 했다. 그래서 한동안 경영 일선에 있어야 했기에 아이디어를 많이 낼 수 없었다고 한다. 그러나 분명 자신의 눈으로 레벨업하는 오브제를 느끼고 있다. 그는 세상을 어떻게 바꾸고 어떤 아이디어가 먹힐 것이라는 아이디어보다 당장 이달 직원 급여에 신경이 더 쓰이는 것이 사실이라며 이것 역시 회사를 운영하는 데 중요한 가치이며 어느 하나라도 소홀하기 싫다고 말한다.

오브제 가입자 수도 매달 늘고 있고, 사용자에게 한 발 더 나아갈 수 있는 스마트폰 환경도 나아지고 있다. 가능성은 많고, 기회는 충분하다. 자체 서비스 박차를 위해 신 대표는 차츰 SI 업무를 줄여나갈 생각이다. 키위플 조직은 오브제를 열심히 만드는 팀, 새로운 서비스 모델을 개발하는 팀, 솔루션 비즈니스를 하는 팀으로 구분되어 있다.

"오브제를 진화시키는 친구들은 경험 많고 열정적이며 오브제의 힘을 믿는 친구들이고, 새로운 서비스 모델을 개발하는 친구들은 감각 있고 창의적인 친구들이며, 솔루션 비즈니스를 하는 친구들은 빠르고 지치지 않는 에너지를 가진 친구들이죠. 이런 다양한 프로젝트를 시장에서 돋보이게 하고 더욱 힘을 받을 수 있도록 고민하는 별도의 조직이 있고요. 모두 정말 대단한 강점을 가진 친구들입니다. PC 앞에 앉아 있는 친구들의 뒷모습을 볼 때마다, 든든하기도 하고 한편으로 안쓰럽기도 하고 그렇습니다. 제 직원들이 저에게는 성공을 갈망하는 최대의 모티브입니다."

신 대표는 사람 욕심이 참 많다. 획기적인 아이디어를 내거나 열정이 엿보이는 사람이 있으면 당장 '어떻게 하면 저 사람을 데려올 수 있을까?' 하는 궁리부터 한다. 한번은 우연히 스타트업 예정인 후배들을 만났는데 그의 마음을 사로잡았다. 그들에게서 예전 자신의 모습을 본 것이다. 자신의 손으로 뭔가를 이루고 싶은 열정이 닮았기 때문이다. 그래서 이런저런 조언을 많이 해주는 편이다. 겪었던 여러 시행착오들과 멘토를 반드시 만나야 하는 점, 많이 들어야 함을 당부하며, 민간업체나 정부가 주관하는 시상식이나 관련 행사에 수상 여부를 떠나 적극적으로 참여를 해야 함을 강조하고 있다. 또한 처음부터 창업의 뜻만으로 좁은 창고 안에서 바로 출사표를 던지는 것은 자제하라고 조언한다. 그리고 경험 많은 벤처 1세대나 선배, 관련 모임을 통해 업계 키워드나 이슈, 트렌드, 정부 지원, 시장성 등을 충분히 숙지할 필요가 있다고 덧붙인다. 개발만 해놓으면 소비자가 찾아가는 생산자 중심시대는 이미 오래전에 지났고 자신의 기술을 충분히 홍보하고 마케팅해야 성공할 수 있기 때문이다. 그것은 곧 자신감으로 이어진다. 물론 사용자가 직접 사용해보고 자연스럽게 홍보로 이어지는 경우도 있긴 하다. 그러나 확률상 얼마나 되겠는가? 상대가 먼저 알아주길 원하는 것처럼 수동적이고 어리석은 일도 없다.

그는 로직한 사람을 선호한다. 고집이 강한 사람보다 분석력이 있는 사람을 선호하는 것이다. 개발자 출신은 객관적인 데이터를 근거로 움직인다는 우스갯소리도 있지만 돌다리도 두드려보고 건너려는 철저하게 계산된 행동일 수 있다. 이 냉엄한 사회 속에서 확실한 팩트가 받쳐주지 않으면 위험하다는 것을 그는 몸소 체험하고 느꼈다. 부임 4년간 한국시리즈 3회 우승, 1회 준우승의 기염을 토한 김성근 전 SK와이번스 감독의 경우 철저한 데이터 야구 신봉자이다. 『리더 김성근의 9회말 리더십』에서 김 감독은 "머리가 아니라 몸이 먼저 반응해야 결과물을 만들어 낼 확률이 높다. 선수들에게 하루에도 수천 번씩 스윙하며 몸에 익혀둬야 무의식 상태에서도 좋은 결과를 낼 수 있다. 무식한 것은 창피한 것이 아니다. 무식한데 그렇지 않은 척하는 사람은 그것이 큰 해가 돼 부메랑으로 돌아온다"라고 했다. 신 대표가 경계하는 것도 이와 비슷한 맥락이다. 자신의 생각과 가치관이 분명하다면 강한 논리와 명확한 방법론으로 자신을 설득하거나 깨끗하게 자신의 고집을 버릴 수 있는 사람이 대장부이다.

"뛰어난 사람이라도 얼마든지 자신의 생각이 틀릴 수 있습니다. 이건 제가 회사에서 커뮤니케이션하면서 절실히 느낀 겁니다. 늘 자신보다 더 잘난 사람이 있다고 생각해야 합니다. 그리고 그 사람의 말이 타당하면 얼마든지 자신도 설득 당할 수 있다는 마음을 열어야 합니다. 그것이 쉽지 않겠지만 그러길 권하고 싶어요. 저는 언제든 타협 가능한 실력자를 원합니다."

첫째도 리얼, 둘째도 리얼

신 대표는 하나부터 열까지 '리얼 라이프'를 중시한다.

"제게 아바타가 하나 있습니다. 물론 가상세계겠죠. 이 아바타는 제가 신용카드로 지출하는 지출항목에 따라 변화합니다. 자신을 그에 맞게 꾸미는 것이죠. 제가 서점에서 책을 많이 구입했다면 좀 더 지적으로 변할 거고요, 제가 옷을 구입하는데 카드를 많이 긁었다면 좀 더 패셔너블한 모습이 되죠. 신용카드의 구매내역과 연동되는 서비스입니다. 실제 사용자의 삶이 반영되는 것인데, 어떠세요? 재미있지 않으세요?"

그가 추구하는 리얼한 삶과 모바일 서비스가 연동되는 것은 '현실화'이다. 2003년 소셜과 게임을 접목한 가상현실서비스인 '세컨드 라이프'의 등장 당시만 해도 IBM, 마이크로소프트, HP, 일본의 덴츠 등 많은 해외 기업이 이 서비스를 통한 자사 마케팅에 적극 뛰어들었다. IBM은 세컨드 라이프에 1천만 달러를 투자했고, 섬을 12개 구입해 직원 3천여 명에게 아바타를 할당했다. 일본 최대 광고회사인 덴츠

사는 버추얼 도쿄를 만들 계획으로 세컨드 라이프 내에 무려 85만 제곱미터를 87만 달러에 구입했다. 이 밖에도 세계적인 명품업체인 크리스찬디올, 델, 도요타, 삼성, LG, 닛산, BMW 등도 직접 세컨드 라이프에 적극 뛰어들었다. 세컨드 라이프는 미래 첨단 온라인 서비스 그 자체다. 그러나 기업들이 잇따라 철수하고 있다. 2010년 6월, 직원의 약 30%를 해고했으며, 영국과 싱가포르 지사를 폐쇄하기에 이른다. 우리나라에서는 이미 2009년 철수한 상태다.

왜 이런 결과를 불러왔을까? 여러 매체에서 저마다 분석한 내용이 나오는 상태지만 공통적으로 가상세계 특유의 무질서와 현실세계와 다른 소비자 특성을 간과했기 때문이라는 것이 주를 이룬다. 즉, 현실세계와의 연결고리가 약했다는 것이다. 세컨드 라이프가 온라인 서비스가 만연한 이 시대에 시사하는 바는 크다. 가상세계 서비스가 모두 이러한 공식을 따라오는 것은 아니지만, 현실을 기반으로 한 서비스는 그만큼 현재에 가치를 부여할 수 있다.

"지금은 없어졌지만 강남역의 타워레코드를 지난다고 합시다. 근처에서 오브제를 띄워 최신가요 mp3를 내려받을 수 있게 한다면 하나의 마케팅 수단이 될 수 있지 않을까요? 뭐든지 새로 접근하고 협업해야 해요. 물론 제가 말씀드리는 모든 사례는 유사한 서비스가 분명 있어요. 문제는 더욱 편하고, 쉽고, 현실과 연계점이 있어야 한다는 겁니다. 게임을 하더라도 끝판왕을 이기면 봉사단체나 구호단체에 기업에서 물건이나 소액을 기부할 수 있는 시스템을 적용하는 것도 생각할 수 있어요. 좀 더 다르게 접근하면 세상의 유무형 가치와 리소스를 효율적으로 배분할 수 있다고 생각합니다."

매일 부천에서 서울까지 대중교통으로 출·퇴근하는 그는 시간을 활용하기 위해 일부러 대중교통을 이용하고 있다. 충분히 가치 있는 리소스가 되기 때문이다. 물론 이 과정에서 발생하는 시간을 독서 등 자기계발로 활용할 수 있겠지만, 그는 조금 더 비즈니스적으로 접근하고 있다.

'앱'이 아닌 '서비스'를 지향하는 키위플

애플의 앱스토어에서 촉발된 국내 앱 시장은 2년이라는 짧은 시간 동안 가파른 성장세를 이어왔다. 앱 개발사 혹은 개발자 개인은 기존의 이동사를 거쳤던 것과 달리 직접 애플 앱스토어와 구글플레이, MS 마켓플레이스를 통해 자신의 콘텐츠를 올릴 수 있게 된 것이다. 개발하고자 하는 의지만 있다면 누구나 쉽게 진입할 수 있고, 2011년 수요가 고착화되면서 공급 과잉현상이 벌어지기도 했다. 앱 하나만으로 가시적인 수익을 노릴 수 있는 계층은 상위 1%도 되지 않았다. 성공과 실패가 뚜렷하고, 이에 강한 개성과 아이템, 사용자와의 커뮤니케이션, UI, 디자인 등 다각적인 기술이 잘 어우러져야 일말의 기대를 걸어볼 수 있는 셈이다.

국내 앱 생태계는 미국보다 2년, 일본보다 1년 늦게 시작했지만, 2012년 앱스토어 다운로드 수 2위, 구글플레이는 1위를 달릴 정도로 시장의 열기는 뜨겁다. 경쟁대열에 끼어 있는 앱도 그만큼 많다는 이야기다. 전문가들은 단순히 다운로드 수만으로 앱을 평가하기에는 시기상조라고 말한다. 이는 기본적인 베이스일 뿐이지 넥스트 비즈니스를 통해 어떻게 수익모델을 만들어 낼지가 관건이라는 의견이 지배적이다. 특히 국내는 무료 앱 시장이 활발하기 때문에 어지간해서 수익을 내기는 쉽지 않다. 그렇다고 대충 만들 수도 없는 노릇이다.

앱 시장의 경쟁이 치열한 것은 사실이다. 전 세계가 경쟁한다고 보면 된다. 카피 앱도 속속 등장하는 형국이다. 결국 창의력에 한계가 왔다는 것이다. 그는 장기전 승리 방정식에 대해 오브제처럼 개발자(혹은 개발사)의 철학적인 콘셉트와 스토리텔링을 얼마나 앱에 함축시킬 수 있는지의 여부에 달려 있다고 했다. 일시적으로 유사하게 개발하거나 예쁘게 디자인한다고 당장의 주목을 끌 수 있겠지만, 결국 개발자 신념과 철학이 받쳐주지 않으면 힘들다.

앱 시장은 냉정하다. 사용자가 한번 고개를 돌리면 어지간해서는 다시 찾아오지 않는다. 그래서 더 적극적으로 뛰어야 한다. 시장성이 확실하다면, 긍정적인 마인드로 투자자를 설득할 각오도 해야 하고, 스스로 마케팅도 해야 한다. 유료 앱이라고 하여 반드시 수익보장으로 연결되는 것도 아니다. 확실한 철학으로 장기전으로 승부하겠다는 각오가 필요하다. 그가 키위플 창업 당시 이러한 생각으로 오브제를 출시했다고 한다. 키위플은 제작하는 앱 서비스가 미국이나 유럽에서 대중화, 글로벌 서비스가 되고자 노력하고 있다. 아직까지 해외에서 하드웨어를 제외한 소프트웨어가 '성공'과 '시장'이라는 두 마리 토끼를 잡은 사례는 전무하다. 그 첫 번째 테이프를 신 대표 자신이 끊길 바라는 것이다.

신의현 대표는 지속 가능한 인물이 되고 싶은 기업인을 소망한다. 막연히 성공한 벤처 기업가가 아닌 다른 공식을 대입해도 문제를 풀 수 있다는 해답을 제시하는 인물로 기억되고 싶은 그는 계산 없는 기업인이면서 뚝심 있는 CEO다. 그는 의지가 있다면 무조건 시도하라고 강조한다. 대신 그만큼 많은 준비와 철저한 계획을 미리 짜두라고 덧붙인다.

"한 벤처 투자자가 100여 개 스타트업 기업 대부분이 카피캣이라 투자할 곳이 없었다는 기사를 읽었습니다. 기업이 단계를 밟아가고 영속성을 갖기 위해서는 흑자를 꾸준히 내야 하는 구조여야 하지만 서비스속성상 일정 궤도에 오르기 전까지는 많은 투자와 서비스 지속성이 필요합니다. 흔히 성공적으로 대기업에 인수합병되거나 투자받는 스타트업의 특징은 다른 회사는 갖고 있지 않는 자신만의 기술과 가치가 있다는 점입니다. 여러분의 아이디어를 믿으세요."

진정 할 수 있는 일보다 하고 싶은 일을 위해 벤처에 뛰어든 그였기에 세상에 없는 서비스를 한 번 더 기다려본다. 여느 개발자와는 차별화된 세상 속까지 꿰뚫어 볼 수 있는 혜안이 있는 신의현 대표를 기대해본다.

3

스마트한 앱 포털,
제대로 알려드립니다!
팟게이트

오드엠 박무순 대표

박무순 대표
전주대학교에서 컴퓨터공학과를 졸업했다. 2004년 인터넷 정보상거래 '인포유닷컴' 대표이
사를 역임했다. 야후코리아에 입사 후 야후 개발자행사 핵데이(Hackday)에서 '클릭 스토커'
로 1등을 차지해 본사 Tech Conference Poster에 참여했으며 국제특허도 출원했다. 앱 포털
'팟게이트' 개발사인 오드엠(ODDM) 대표다.

왜 '팟게이트'인가?

스마트폰 사용자 3000만 명 시대로 접어들면서 그만큼 무수한 앱이 등장하고 쇠퇴하는 과정을 반복하고 있다. 홍수 때 정작 마실 물이 없다는 말처럼 수많은 앱이 등장하는 요즘, 자신에게 꼭 맞는 검증된 앱을 효율적으로 내려받을 수 있는 정보를 적시에 알아낼 수 있다면 얼마나 유용할까? 스마트폰의 매력은 뭐니 뭐니 해도 자신에게 딱 맞는 앱을 사용할 수 있다는 점이다. 그러나 초보자는 자신에게 어떤 앱이 필요한지, 어떻게 찾아서 내려받아야 할지 막막하다.

팟게이트는 말 그대로 '스마트한 앱 포털'을 지향한다. 기본적으로 팟게이트만으로도 사용자가 즐겨 사용하는 여러 유·무료 앱을 찾을 수 있다. 여기서 팟게이트는 사용자에 맞춰 앱을 세분화했다. 팟게이트에 이어 '팟게이트G(게임사용자)' '탭키즈(어린이 전문앱 추천 서비스)' '오늘만 무료' '이럴땐이런앱' '팟게이트 타운(개발사 타깃)' 등 사용자에 철저히 맞춰 론칭했다. 초기에는 아이폰 국내 출시에 맞춰 다운로드 링크서비스를 기반으로 단순히 앱을 소개하는 모바일 웹에 국한했지만, 1년여 만에 '앱 포털의 네이버'라 부를 만큼 독보적으로 성장했다.

그를 주목하는 이유는 개발자로서 개발에 대한 욕심과 외형적인 성과도 있겠지만, 무엇보다 스마트폰 시대의 흐름을 본능처럼 반응하는 안목과 실행력 때문이다. 덧붙여 개발사 혹은 사용자 어느 한 쪽에 치우침 없이 자연스레 그들의 생태계를 조성함으로써 하나의 사업군으로 발전시켰다는 사실은 기존 일방적인 기술적 서비스에 국한한 앱 서비스와는 한 차원 다른 모습이다. 우리가 늘 바랐던 이상적인 서비스 방식 중 하나가 바로 이런 생태계, 혹은 플랫폼이 아니었던가? 어린 시절 컴퓨터에만 매달리느라 학업에 부진했던 그가 내로라하는 외국계 기업에서 실력 하나로 계약직에서 정직원으로 올라섰다는 사실은 그의 내재된 꿈과 열정을 여실히 보여준다. 그는 외국의 경우처럼 60세가 넘어서까지 개발자로 활동하길 원한다.

너 팟게이트 아직 안 받았어?

2010년 3월, 필자가 처음 아이폰을 구입했을 당시 가장 먼저 내려받았던 앱은 팟게이트였다. 당시 아이폰을 만지작거리면서 틈날 때마다 앱 내려받기에 심취했다. 솔직히 고백하자면 '굳이 유료 앱을 받을 필요가 있을까' 싶었다. 말 그대로 좋은 무료 앱이 많았기 때문이다. 그러나 무료 앱을 받았더라도 그 이상의 뭔가가 없어서 바로 삭제하기 일쑤였다. 이때 만났던 팟게이트는 다양하고 재미있는 정보를 제공했다. 주변의 지인들도 당장 어떤 앱이 유용한지 몰랐던 터라 팟게이트를 통해 유용한 앱을 소개하며 우쭐했던 적도 있다.

팟게이트는 개발자와 사용자의 틈새를 봉합해 모두 윈윈할 수 있는 기반을 마련한 앱 포털 서비스다. 마치 앱계의 네이버와 같은 존재다. 하루에 수십 곳씩 생겨나는 앱 개발사의 첫 홍보·마케팅 시 효과적인 노출을 지원한다. 또 처음 스마트폰 구입 후 어떤 앱을 내려받아야 할지 고민하는 사용자에게 사용자 니즈를 반영한 다양한 앱을 한곳에서 모두 소화할 수 있도록 게이트 역할을 한다. 어쩌면 한국적인 앱 생태계로서의 플랫폼으로 자리매김했다는 표현이 더 어울릴지도 모른다. 국내 내로라하는 앱 중 팟게이트를 거치지 않은 앱이 거의 없을 정도로 개발자 사이에서는 앱 개발 초기에 시장진입에서 한 번쯤 염두에 둘 필요가 있는 곳이기도 하다.

팟게이트 출시 이후 뒤이어 유사 앱이 속속 등장하기 시작했다. 이 앱들은 대부분 사용자 니즈에 포커싱되어 있는 상태다. 그러나 팟게이트는 사용자만을 위한 플랫폼 구성이 아닌 개발자와 사용자 간의 교착점을 제공해 하나의 거대한 커뮤니티 공간을 제공하기도 한다. 이것이 바로 팟게이트만의 차별화 요소다. 팟게이트는 시장 초기부터 개발자와 사용자가 함께 커뮤니티를 형성할 수 있도록 플랫폼을 제공하는 데 중점을 두었다. 이미 팟게이트에 가입한 1200여 개 개발사와 300만 사용자 사이에는 앱 생태계를 공유한다는 공감대가 자연스레 형성된 상태다.

개발사는 팟게이트를 통해 자신들이 개발한 앱을 소개하고, 사용자는 그 앱을 내려받아 실행함으로써 서로의 니즈를 충족한다. 사용자는 물론 개발자 역시 사용자와의 지속적인 커뮤니티와 다른 개발자의 정보 등 필요한 이슈를 한 곳에 집적한 곳을 찾기가 쉽지 않다. 이런 시점에서 팟게이트의 등장은 양자 간의 고민을 일거에 해소할 수 있는 근간을 마련했다. 또한 게재되는 수많은 사용자의 리뷰 역시 해당 개발사에서는 없어서는 안 될 중요한 자산이 된다.

오하이오 주립대학교 최자영 전임교수는 자신의 논문 「펩시가 슈퍼볼 TV 광고를 중단한 이유는?」에서 포레스터 리서치의 연구결과 소비자의 약 64%가 온라인 사이트에서 타인의 리뷰를 원하며 이를 통해 동질감을 느끼는 것으로 나타났다. 또 2006년 쿠마르Kumar 등의 연구결과를 보면, 소비자들은 웹사이트에 다른 소비자의 리뷰가 있을 때 의사결정을 쉽게 내릴 수 있다고 답했고, 그 사이트가 더 유용하다고 평가했다고 밝힌 바 있다. 경제적 의사결정을 내리는 과정을 뇌의 반응으로 설명하는 새로운 개념의 경제이론인 신경경제학자 그레고리 번스Gregory Berns 역시 자신의 연구를 통해 인간은 남들과 동조함으로써 편안함을 느끼는 사회적 본성을 갖고 있다는 것을 실험으로 밝힌 바 있다. 그만큼 사용자가 남기는 솔직담백한 리뷰와 내려받은 수, 추천 등은 이미 영향을 넘어 하나의 콘텐츠로서의 역할을 수행하고 있다.

팟게이트는 이후 개발사와 사용자 간의 니즈를 세분화해 앱을 단계별로 출시했다. 팟게이트의 초기 버전을 벗어나 포털로 진화한 스마트 앱 포털 '팟게이트S', 초보 사용자를 위한 테마별 필수 앱 추천 '이럴 땐 이런 앱', 게임집중공략 커뮤니티 '겜톡', 게임 포털 '팟게이트G', 아이패드용 앱 포털 '팟게이트HD', 안드로이드 앱 포털 '팟게이트' 등으로 연이은 히트 작품을 내놓으며 시리즈를 다양화했다. 팟게이트는 사용자 입장에서 자신에게 맞는 앱을 더욱 편리하게 찾고, 신뢰할 수 있는 앱 정보를 서비스하는 접점을 타기팅한 것이다. 사용자의 앱 소비패턴에 맞춰 개성을 통한 특색 있는 전략을 펼치고 있는 셈이다.

별것 아닐수록 별것처럼

박무순 대표가 처음 팟게이트 서비스를 앱스토어에 출시했을 때부터 사용자와 개발자들의 반응은 그야말로 상상 이상이었다. 한국에서는 이런 취지의 서비스가 처음이었던 것을 감안하더라도 그 반응은 '기다렸다는 듯이'라는 단어를 써도 무방할 정도였다. 국내 아이폰 사용자라면 처음에는 대부분 알음알음 내려받아 사용할 정도로 필수 앱이었다. 2011년 12월 한 달 기준으로 페이지뷰 6550만, 월 방문수 1560만, 신규방문율 33%, 재방문율 67%, 일일 평균 조회수 50~100만 건을 기록할 정도로 팟게이트 사용자의 높은 충성도를 살필 수 있다. 이는 메신저 앱을 제외하고는 국내 모바일 서비스 트래픽 1~2위를 기록할 정도의 수치다. 2012년 현재 아이폰 팟게이트 사용자만 400만 명에 이른다. 사용자는 팟게이트 내 '오늘만 무료' '신규 무료' '오늘만 할인' 등 세분화된 카테고리에 맞춰 이용할 수 있다. '인기 500'에서 한국 앱스토어뿐 아니라 미국, 일본 등 해외 앱까지 천천히 살피며 내려받을 수 있도록 다양성도 갖췄다. 팟게이트는 2009년 출시 때부터 아이폰 앱스토어를 타기팅했다. 당시는 아직 안드로이폰이 국내 상륙 전이었으며, 앱 개발자들은 너도나도 할 것 없이 앱스토어에 뛰어들던 시기였다.

앱스토어는 몇 가지 특성이 있다. 먼저 가격탄력성이 높다. 앱의 가격이 조금만 높으면 순위가 급락하기 십상이다. 한 예로 20위권 안의 게임 중 판매가격이 1달러 이상인 것은 3~4개뿐이다. 시장조사기관 디스티모Distimo는 이러한 가격탄력성에 관한 보고서에서 "전체적으로 앱의 가격이 낮아지고 있는 추세인데, 그런 앱들이 상위권을 유지하고 있다"라고 밝히기도 했다. 이러한 상황이라면 신생기업에게는 더 없는 기회이기도 하다. 반대로 대기업 입장에서는 앱 개발이나 유료화 전략만으로는 큰 수익을 기대하기가 어렵기 때문에 수익사업모델로는 적합하지 않다. 휴대폰 하드웨어 사업에 비해 앱 시장은 10%대를 유지하고 있기 때문이다. 거대한 자본과 비즈니스 플랫폼을 갖춘 대기업이 빠진 앱 시장에서 절대 강자는 존재하지 않는다. 그러나 최근 팟게이트가 자체 분석한 내용에서 해외시장과 달리 무료 앱에 일방적으로 밀렸던 유료 앱 시장이 활기를 띠고 있다는 점은 주목할 만하다. 무료 앱 위주로 팟게이트 내 형성됐던 앱 생태계는 개발자에게는 개발 동기부여가, 사용자에게는 질적 서비스 제공 등 다양한 시너지가 형성될 것으로 예상하고 있다.

두 번째로 새로운 사용자가 주도하는 시장이다. 앱은 특성상 내려받을 사람이 다 받고 나면 더 이상 팔리지 않게 된다. 물론 이 와중에도 꿋꿋하게 1위를 유지하는 '앵그리버드' 앱도 있다. 아이폰, 아이패드 등 N스크린에 맞춘 단말기가 급성장하기 때문이다. 어느 보고서에는 앱 시장은 이미 포화상태라고는 하지만 아직도 급격한 성장기를 벗어나지 않았다고 보는 전문가도 있다. 아이폰과 아이패드와 같이 신규 단말기를 새로 구입하는 사람의 경우 이들의 니즈를 충족시키는 앱이야말로 대중화와 함께 또 하나의 킬러 앱으로 자리매김할 수 있는 것이다(박준호, 『인사이트 플래닝』, 다산북스, 2011). 그래야만 틈새시장을 파악할 수 있다. 박 대표 역시 이 부분을 잘 알고 있다. 이에 맞춘 서비스 전략을 곧 가시화할 계획이다.

박 대표는 팟게이트 시리즈가 개발자와 사용자 간의 커뮤니티를 형성할 수 있는 플랫폼으로서의 역할을 하기 전에, 이들 역시 하나의 사용자로 보고 서비스한다. 이때 수많은 앱을 노출하다 보면 사용자 입장에서 자연스레 정렬 등의 문제로 복잡해질 수 있는데 팟게이트는 이를 '사용자 옵션'으로 설정 가능하도록 했다. 메뉴별로 제공되는 옵션을 통해 더 빠르고 쉽게 앱을 검색할 수 있는 서비스를 제공하는 것이다. 무료 앱을 원하는 사용자부터 앱의 고수까지 맞춤형 메뉴와 카테고리를 통해 사용자에게 한발 더 다가섰다. 이 부분은 팟게이트가 전략적으로 접근한 최신 업데이트 항목이기도 하다.

박무순 대표는 스마트폰이 소유 자체보다 앱을 활용하면서 사용자의 능력과 활용에 따라 얼마든지 스마트하게 이용할 수 있는 도구라 여긴다. 초보와 고수를 위한 각각의 콘텐츠를 세분화하고, 개발사와 사용자 간의 커뮤니티를 통해 초보자라도 얼마든지 도움 받을 수 있는 계기를 제공한다고 밝혔다. 콘텐츠를 사용자 등급에 맞춰 접근이 용이할 수 있도록 개발한 것은 사용자로 하여금 충성도를 높일 수 있는 또 하나의 계기가 됐다. 말 그대로 '별것 아닐수록 별것처럼' 접근하고 있는 것이다. 사용자는 이러한 세심한 부분에서 더욱 편리함을 느끼고 감동하기 마련이다.

끝없는 창업 열정

박무순 대표는 컴퓨터와 떼려야 뗄 수 없는 막역한 사이다. 어릴 때부터 동네 컴퓨터의 달인으로 불린 것은 물론 컴퓨터에 이상이 생기면 누구나 그를 호출했다. 분명 누군가에게는 그가 '가제트 만능 팔' 혹은 '순돌이 삼촌'으로 불리는 것쯤은 예삿일이 아니었을까?

그는 초등학교 2학년 때 처음 컴퓨터를 접했다고 한다. 신세계를 맞이한 짜릿한 느낌이었다. 그가 아이팟을 보고 느꼈던 것과 같은 감동 그 자체였다. 그는 윈도우즈 버전 이전의 DOS 프로그램이었던 아이큐 2000과 애플II 세대다. 초등학교 때 컴퓨터의 전 과정을 마스터하는 저력을 뽐내기도 했다. 중학교 1학년 시절에는 컴퓨터로 재미있게 해오던 테트리스를 자신이 직접 만들어 보고픈 요량에 그동안 배운 컴퓨터 프로그래밍 실력을 총동원해 테트리스 게임을 개발하기에 이른다. 비록 모방한 게임이었지만 그는 이때부터 개발자로서의 꿈, 창업의 꿈이 서서히 무르익기 시작했다.

그는 선천적으로 어떤 아이디어가 떠오르면 직접 해봐야 직성이 풀리는 성격이다. 장소나 시간도 구애받지 않는다. 무조건 하고 본다. 그 습관은 언제나 어딜 가나 여전했다. 그것이야말로 창업을 위한 중요한 밑천이었다. 창업에 꿈이 있어 이것저것 만들다 접은 아이템만 열댓 개 정도에 이른다.

쓰디 쓴 사업 실패 경험도 있다. 대학 4학년 때 문득 가치 있는 일을 해보자는 생각으로 인터넷 지식 정보시장 사업을 시작했다. 당시 '인포유닷컴'이라는 간판을 내걸고 시작한 사업은 사용자들이 관련 카페를 만들어 지식이나 정보를 올리면 정보제공자(판매자)가 자신이 올린 지식정보에 가격을 매기고 시장에 파는 방식이었다. 수익은 철저하게 판매자와 운영자가 일정 비율로 나누는 시스템이었다. 사업은 서서히 가시적인 성과를 나타내기 시작했다. 방문자가 늘면서 시장거래는 활성화됐다. 급기야 오픈 한 달 만에 서버를 3번이나 옮겨야 할 정도로 사용자가 급증했다. 하지만 호사다마라고 했던가? 일부 사용자들이 올린 성인물이 문제가 되면서 아쉽게도 시작 1년여 만에 사업을 접을 수밖에 없었다. 그렇지만 이 일은 그를 더욱 자극하는 결과를 낳았다. 가능성을 봤기 때문이다.

"이때 시작한 첫 사업을 접고 빚을 졌을 때도 부모님은 뭐라고 혼내지 않으셨어요. 오히려 따뜻하게 감싸주시며 다시 도전하라고 하셨죠. 제가 의기소침하지 않도록 늘 힘을 주셨습니다."

야후코리아에 계약직으로 입사한 그는 사내에서도 어떤 일이든지 맡기면 금방 해내는 실력파로 인정받았다. 언제나 말보다 실행이 우선되는 근무태도는 좋은 평가로 이어졌다. 결과가 좋지 못하거나 성과가 나오지 않으면 언제 해고될지 모르는 불안한 자리였지만 그는 입사 2년 만에 마침내 정직원으로 전환됐다. 어느 기업이든 여간해선 계약직에서 정규직이 되기 힘든데 업계에 화제가 되기도 한 일화다.

2008년 야후 개발자 행사인 핵데이에서 클릭 스토커로 1등을 차지, 본사 Tech Conference Poster에 참여하는 기회를 얻기도 했다. 왼쪽이 박무순 대표.

그는 회사에서도 어떤 프로젝트든 아이디어만 나오면 일단 자리로 돌아가자마자 개발에 착수하기로 유명했다. 동시에 구체적인 안이 나오면 이를 적절히 수정하고 보완하여 최종본을 만들어냈다. 그만큼 작업 결과도 기대 이상으로 빨랐고 피드백도 확실했다. 당시 그가 함께 창업했던 Mnet 안소연 PD(현 오드엠 이사)와는 평소 업무에 관해 이런저런 대화를 하며 서로 잘 통했다. 안 이사는 당시 박 대표에 대해 박 대표는 여느 개발자와는 확실히 달랐다며 뭔가를 요청하든 피드백을 바로 보여주었다고 회상한다. 사실 덩치 큰 회사에서 피드백은 빠를수록 시행착오를 줄이고, 그만큼 성과를 앞당길 수 있는 원동력이 되기 때문에 더욱 중요하다.

이러한 그의 성실함과 아이디어를 일거에 보여주는 사건이 있었다. 야후는 전통적으로 매년 '야후! 핵데이Yahoo! Hack Day'라는 전 세계의 야후 사무실에서 24시간 열리는 이벤트가 있다. 하루 동안 자신의 아이디어를 프로토타입으로 만들고 발표하는 행사다. 그 시간 동안 잘 사람은 자고, 먹을 사람은 먹으면서 한마디로 24시간 놀면서 자신만의 아이디어를 출품하는 행사다(야후 핵데이와 유사한 개념의 행사로 네이버의 '버닝데이', 페이스북의 '핵카톤'을 꼽을 수 있다).

박무순 대표는 이날 사용자의 마우스 움직임을 실시간으로 추적하는 핵Hack '클릭 스토커'를 개발하여 대상을 차지, 상금 2천 달러를 거머쥐었다. 이 서비스의 특징은 사용자의 웹 서비스 이용패턴을 실시간 클릭좌표와 이동경로까지 그림으로 표시해 한눈에 알아볼 수 있다는 점이다. 곧 클릭 스토커는 국제특허로 출원됐고 박 대표는 미국 야후 본사에서 열린 개발자 행사에 참여하는 기회를 얻기도 했다.

그는 이후 개발자로서 동기부여를 준 핵데이를 오드엠 설립 후 자체행사로 꾸며 이어오고 있다. 출시하자마자 앱스토어 인기 순위 1위, 스마트폰 100만 사용자가 내려받아 2만 건이 넘는 최신 유머자료를 통해 사용자에게 웃음을 제공하는 '웃끼지마' 앱이 2011년 자체 오드엠 핵데이 행사를 통해 대상을 수상한 작품이다. 혹자는 '졸속으로 만들었다'는 평을 곁들이기도 했지만, 행사가 24시간이라는 시간 속에 졸속으로 만들어야 하는 제한이 있는 만큼 치열한 아이디어 싸움의 결과였다.

"이름은 '웃끼지마'지만 반대로 웃기려고 만든 앱이죠. 인터넷에 보면 재미있고 웃긴 사진이 많잖아요. 그것을 스마트폰으로 공유할 수 있도록 한 것입니다. 만들면서 직원들과 엄청 웃었는데, 역시 '개발하는 사람도 재미있어야 사용자도 재미있겠구나' 하는 보편적인 상식을 다시 한 번 중요하게 깨달은 계기가 됐습니다."

"당신을 쉴 새 없이 웃게 만들 효자 앱" 웃끼지마의 화면. 댓글 및 추천에 따른 카테고리를 제공하는 등 유저 참여를 유도하는 모습을 볼 수 있다.

하루 만에 개발한 앱이지만 정식 론칭하기까지는 약 한 달이 소요됐다. 많은 사용자가 이 앱을 내려받을 수 있었던 여러 요인 중 하나가 바로 팟게이트에 이를 적극적으로 소개했기 때문이다. 사용자들은 이 앱에 하루 1천 장 가까이 재미있는 사진을 올린다. 따로 신경 쓰지 않아도 스스로 성장할 수 있는 토대를 마련한 것이다.

다만 아직도 수익모델은 고민거리라고 한다. 예상보다 사용자가 많은 탓에 망에 과부하가 걸린다고 KT에서 먼저 업데이트를 권장할 정도였지만 트래픽에 비례하는 수익이 발생하는 것은 아니다. '서비스가 잘되는 것'과 '돈 버는 것'은 별개인 것이다. 하지만 팟게이트도 처음부터 구체적인 수익모델을 가지고 있었던 것은 아니었다. 웃끼지마 또한 팟게이트와 같이 장기적으로 수익을 내는 앱이 되지 말란 법도 없는 것이다.

아이팟에 꽂히다

팟게이트의 시작은 박무순 대표가 야후코리아 재직 당시 아이팟을 처음 접하면서부터다. 2008년 야후에서 개발자로 일하던 당시 우연히 아이팟터치를 옆 동료를 통해 알게 됐다. 그저 너무 신기해 동료로부터 이를 일주일간 빌렸다. 이것이 그의 운명을 가르는 계기가 됐다. 심플하고 얇은 디자인과 함께 손에 꼭 감기는 맛, 이 작은 기기에서 구동되는 인터넷에 그는 충분히 감동했던 것이다. 그 후 신선한 충격에 빠져 한동안 아이팟에서 헤어 나올 수 없었다. 그때만 하더라도 아이폰은 이미 2년 전에 미국과 일본에서 출시돼 큰 반향을 불러일으키던 시기였다.

그는 일주일 동안 꼬박 날밤을 새다시피 하며 이것저것 만져보며 심취했다. 앱 자체가 정말 신기했다. 모든 것을 가능하게 만드는 것 같았다. 그는 UX/UI를 분석하고 앱스토어를 연구했다. 이 작은 기기 하나로 또 다른 미지의 세계를 경험하는 것 같았다. 하지만 그에게 주어진 일주일은 금세 지나갔다.

"손 안에 꼭 잡히는 그 작은 기기에서 웹서핑이 원활하게 된다는 것 자체가 충격이었어요. 누워서도 할 수 있었죠. 아직도 기억이 생생합니다. 이렇게 작은 물건으로 희열과 감동을 느끼기는 처음이었죠. 뭔가 막 해보고 싶었어요. 완벽하지는 않아도 자유롭고 깔끔하게 인터넷도 구동된다는 사실에 흠뻑 빠져들었어요. 단순히 작은 기기가 아니라 이토록 편리함에 세상이 바뀔 것만 같아 나도 뭔가 할 수 있을 것만 같았습니다."

그는 당시 안소연 PD와 틈틈이 아이팟에 대한 이런저런 이야기를 나눴다. 그러던 어느 날, 천군만마와 같은 시간을 얻게 된다. 그가 신종플루에 감염돼 2주간 병가를 받아 집에서 쉬게 된 것이다. 2주간의 칩거는 그의 팟게이트 개발에 결정적인 시간이었다. 그는 신종플루에 감염된 것을 고마워해야 할 정도로 2주간 새로운 아이템을 찾아낸 시간을 벌었다고 회상했다.

그가 팟게이트처럼 앱 포털 플랫폼 방식의 힌트를 얻은 일화가 하나 있다. 손 안의 작은 기기로 인터넷에 접속해야 하다 보니 여간 번거롭지 않았다. 일일이 사이트를 검색해 주소를 치고 서핑하는 것이 만만치 않았다. 한마디로 모바일에 최적화된 웹사이트를 하나하나 찾아다니기가 여간 곤혹스럽지 않았던 것이다. 현재도 모바일에 최적화된 앱을 접하지 않는 이상 일일이 손끝으로 구동하며 접속하기가 쉽지 않은데, 하물며 당시 무선인터넷망은 고사하고 속도나 UX/UI에서 불편함은 한두 가지가 아니었을 것이다. 그는 이때 웹사이트를 모아놓은 작은 링크 서비스나 디렉터리 서비스를 개발하면 좋겠다는 데 생각이 미쳤다. 바로 개발에 착수해 데이터를 긁어모은다면 분명 포털개념으로 확장할 수 있을 것이라 여겼다.

그 후 그는 해외 웹사이트와 정보를 수집했다. 모바일에 최적화된 웹사이트 관련 정보는 모두 수집해 한국어로 번역, 서비스를 개시했다. 이것이 팟게이트의 원조였다. 팟게이트는 지금과 달리 모바일 웹 링크 포털이 시작이었다.

"당시 이러한 웹 포털 서비스는 많이 있었어요. '아이스타트istart'도 꽤 인기가 많았죠. 무엇보다 사용자의 웹 정보 검색 불편함을 해소한 것이 반응이 컸어요. 저도 그땐 재미로 만들었던 터라 홍보나 마케팅은 하지 않았어요. 사용자도 적었고요. 그러다 우연히 인기 있는 앱 관련 정보를 알게 됐는데 바로 북미 애플리케이션 할인 정보 사이트 'Free App a Day'였어요. 팻게이트의 '오늘만 무료'는 이를 벤치마킹한 겁니다. 제가 원했던 정보였죠. 이후 모바일 웹과 앱을 함께 소개하기 시작했습니다."

아이폰이 정식 국내에 유통되던 2009년 말 즈음에도 앱에 대한 정보를 얻을 수 있는 유일한 통로는 앱스토어뿐이었다. 그는 '웹사이트를 집대성한 사이트처럼 앱도 하나로 모아놓은 링크 서비스를 해놓으면 재미있겠다'는 데 생각이 미쳤다. 박 대표는 아이폰이 국내에서 정식 유통되자 가격이 무료로 풀리는 것을 모아서 보여주는 해외시장을 보고 구체적인 관련 앱 개발에 나섰다. 이 정보는 앱에서 제공하는 것이 아니기에 백그라운드 시스템을 통한 정보채널 확보가 관건이었다. 해외에 있는 정보를 실시간으로 받아 RSS 방식으로 구동되는 루트를 먼저 확보했다. 남은 건 국내 사용자들이 이 정보를 얼마나 이해하고 활용하는지의 여부였다.

2009년 11월, 마침내 프로토타입을 완성했다. 비즈니스 모델도 생각하지 않았고 그저 사용자가 많이 찾아주면 그뿐이라는 생각이 앞섰다. 블로그 같은 개념으로 다가섰던 모바일 웹 버전이었다. 이것을 당시 안소연 PD에게 보여주고 의사를 묻기도 했다. 사용자는 금세 3만 명 가까이 모였다.

"처음엔 웹과 앱을 함께 소개하는 모바일 웹 버전이었어요. 그때는 핵심이 '오늘만 무료'가 아니라 모바일 웹에 링크를 걸어놓은 디렉토리 서비스였죠. 그런데 샘플을 보니 모바일 웹보다 '오늘만 무료'라는 카

팟게이트 서비스 초기 모바일웹 버전

테고리에 트래픽이 더 높았어요. 앱 관련 정보에 대해 사용자 니즈가
많을 것으로 판단했죠. 이후부터 '오늘만 무료'라는 카테고리를 메인으
로 삼았습니다. 이것이 팟게이트의 주요 콘셉트가 됐습니다."

팟게이트는 물론 유료 앱도 소개하지만 '무료/할인 앱' 소개가 근간
이 된다. 이것이 초기 사용자와 기존 사용자가 많이 몰리는 이유다.
여기서 '오늘만 무료'는 말 그대로 오늘만 무료라는 뜻이 아닌, 정확히
말하자면 당일을 포함한 개발사가 설정한 임의의 이벤트 기간 동안만
무료라는 의미다. 그래서 웃지 못할 에피소드도 많다. '오늘만 무료라
고 해서 봤더니 이미 유료더라'라는 오해를 사 항의도 많이 받았다.
그는 재미 삼아 시도했던 서비스에 사용자가 몰리자 이대로는 서비스
에만 매진하기가 어렵다고 판단, 회사에 사직서를 제출했다.
2010년 2월, 그는 색다른 시도를 했다. 그간 모바일 웹을 다시 앱 버전
으로 출시했다. 아이폰이 국내 보급되고 나서 약 3개월이 지난 시점이

었다. 그는 이 시기에 본격적으로 앱 개발에 뛰어들었고 효과는 바로 이어졌다. 별다른 홍보도 없이 앱스토어에 올린 지 이틀 만에 유료버전과 무료버전 동시에 1위를 차지한 것이다. 그 후에도 1년 가까이 상위권에 머물며 아이폰 사용자 대다수를 발 빠르게 흡수했다. 3개월 후 안소연 PD도 회사에 사표를 제출, 본격적으로 두 사람은 팻게이트에 몰두했다. 역삼역 근처 작은 소호창업자 비즈니스센터에서 두 사람은 긴 여정의 첫 발을 뗐다.

박무순 대표와 안소연 이사 역시 남들의 부러움을 한 몸에 받는 외국계 회사를, 당시에는 가시적인 데이터와 비전을 담보할 수 없는 그것도 모험에 가까운 일에 기꺼이 뛰어들었다. 가정의 반대도 만만치 않았을 터인데 박무순 대표의 말은 의외였다. 사업가 스타일인 아내 역시 그의 꿈과 가능성을 믿어서 응원해주었다는 것이다. 다만 너무 긴장한 나머지 그 기간 동안 몸무게가 10kg 정도 빠진 것 외에는 별 다른 이상은 없었단다.

"아마 제가 오래전부터 창업의 꿈을 갖고 있었고, 또 모두 알고 있었기에 크게 반대하지는 않았어요. 다만 10년 만에 열리는 새로운 시장에 다시 찾아온 소중한 기회를 놓치고 싶지 않았어요. 가정보다 회사 동료들의 반대가 더 많았어요. 야후는 좋은 회사입니다. 안정적이긴 하지만 제 성격이 일을 벌이고 마구 소화해야 하는지라 조금 답답했지요. 아무래도 제 마음대로 할 순 없으니까요. 어느 분 말씀처럼 팻게이트는 야후에 다니면서도 운영할 수 있었겠죠. 하지만 업무 중에 다른 일에 신경 쓴다는 건 있을 수 없는 일이고, 그러다 보면 서비스 자체도 질을 높일 수 없잖아요. 앱 서비스는 꾸준한 업데이트와 피드백이 생명이거든요. 그래서 결심한 겁니다. 또 확신도 있었고요."

박무순 대표는 곧 안소연 이사에게 작은 두 장짜리 사업계획서를 보여줬다. 앞으로 1년 동안의 사업 스케일과 비전, 예상 매출이 꼼꼼하고 빼곡히 적혀 있었다. 더불어 앞으로 6개월간 1억 원을 벌 것이라고 큰소리도 쳤다. 평균 열 개 남짓 개발사를 팟게이트에 퍼블리싱하면 얼마가 남고, 이 추세로 나아가면 어느 정도 선까지도 가능하다는 의견이었다. 안 이사는 사업계획서만으로는 감을 잡을 수 없었지만, 순수한 열정이 느껴졌다고 한다. 다만 확신이 부족했던 나머지 처음에는 그의 제안을 거절했다. 그러나 시장은 분명 변화하고 세대교체 중이라고 스스로 느끼던 찰나였다. 안 이사 역시 새로운 도전에 목말랐던지라 박 대표와 함께하기로 마음먹은 것이다.

어라? 광고가 완판일세!

박 대표는 모든 서비스에서 시간이 오래 지체되거나 피드백이 없는 것을 경계한다. 때문에 개발자 특유의 설계도와 기획안이 마련돼야 움직이는 것과 대조적으로 처음 기획미팅이라도 머릿속에 대략 구도가 잡히면 바로 개발에 착수한다. 그렇다고 성격이 급한 것은 아니다. 확실한 액션을 추구하는 것뿐이다. 안 이사는 실행과 추진에서 박무순 대표가 가히 세계 톱일 것이라고 거든다. 박 대표가 '실행'을 우선하는 스타일이라면, 안소연 이사는 좀 더 '안정적인 바탕'을 추구한다. 다시 말해 안 이사는 '감'보다 '데이터'를, 박 대표는 '데이터'보다 '감'을 믿는 편이다. 서로 옥신각신하며 재미있어 보였지만, 그 때문에 두 사람은 오히려 서로의 부족한 면을 적절히 메우는 원동력이 된다.
그렇다면 두 사람은 팟게이트의 성공이 지금처럼 성공할 것이라고 상상이나 했을까? 박 대표는 처음에는 스마트폰 시장이 전체적으로 작다고 생각해 별 기대를 하지 않았다. 다만, 장기전이라 판단했고 승부수를 띄울 시점을 찾고 있었다. 그런데 출시하자마자 하루 5천~1만 건의 다운로드 회수를 보고 그 시점이 더 빨라질 수 있겠다 싶었다. 이것저것 정신없이 손닿는 대로 일했고 아주 좁은 공간이었지만 오히려 홀가분했다. 함께 사업계획서도 짜고 외부 광고요청건도 처리하면서 새롭게 뻗어 나오는 에너지를 느낄 수 있었다. 그중에서도 이들에게 가장 신기했던 것은 잇따라 걸려오는 광고 문의전화였다. 팻게이트 앱이나 인터넷상에 어떠한 연락처도, 이메일 주소도 남기지 않았던 터였는데도 하루에 수 건식 광고 문의전화가 이어졌다. 이때 처음 매겼던 광고단가가 지금도 기준이 되고 있다.

두 사람은 출·퇴근 개념 없이 일에만 매진했다. 퇴근한다 해도 스마트폰을 지니고 있었으니 이미 넓은 의미의 스마트워크가 되기도 했다. 박 대표는 이때부터 승부수를 띄웠다. 예상보다 상당히 앞당겨진 시점이었다.

앞서 말한 대로 팻게이트는 초기부터 비즈니스 모델 개념으로 접근한 모델이 아니었다. 사용자에게 재미있는 콘텐츠를 효율적으로 제공하는 데 중점을 둔 서비스였다. 그러던 두 사람은 우연히 한 광고주의 말을 듣곤 왜 광고요청 전화가 끊이지 않는지 그 이유를 알았다. 그 광고주는 자신이 개발자이면서 팻게이트를 사용하고 있는데, 사용하다 보니 광고하고 싶어졌다는 것이다. 그 개발자 역시 사용자이면서 동시에 광고주였던 셈이다. 이때부터 적극적으로 단가를 책정하고 본격적으로 개발사에 타기팅한 광고상품을 출시하기 시작했다. 당시 안 이사는 광고주와의 커뮤니케이션과 광고상품 소개서를 도맡았고, 박 대표는 상품개발과 서비스 확장에 전념했다.

"앱 개발사들은 이벤트가 있을 때마다 광고를 필요로 합니다. 저희도 처음엔 이 가격으로 과연 광고를 할지 알 수 없었어요. 우리가 생각할 때 액수가 크다고 봤거든요. 처음 일주일 동안 이벤트 코너에 노출하는 데 50만 원이었어요. 그러다 다시 메인 광고상품을 개발했죠. 일주일에 300만 원을 책정했습니다. 이후에도 계속 광고가 완판될 정도로 반응이 좋았어요. 모바일 앱 광고니즈가 이렇게 크다면 앞으로 개발사도 더욱 늘겠구나 생각했죠. 창업 초기 자본금요? 2천만 원이었습니다. 크게 투자한 돈이 없었으니 수익분기점은 오래전에 넘은 셈이죠."

흔히 외국계 기업이나 대기업에 근무하다 창업에 나선 이들 이야기를 들어보면 공통적인 의견이 큰 덩치의 울타리를 넘고 싶다는 점이다. 기업의 규모도 크다 보니 아무래도 부서 간 협업 또는 거쳐야 할 과정도 많고 조직적으로 지시받아야 할 것도, 행동에도 제약이 따른다. 어느 곳은 자신의 아이디어가 통과되지 않은 채 1년 내내 기획서만 제출하다 해를 넘기는 곳도 있고, 하고 싶은 아이템이 있어도 무조건 본사의 지시에 따라야 하는 것을 토로하는 이도 있다.

박 대표와 안 이사는 밤낮 가리지 않고 팻게이트에 매달렸다. 보통 1~5인 규모의 앱 사업을 하는 곳은 평균 6개월을 넘지 못했다는 연구결과도 있다. 규모가 작다 보니 한두 명의 이탈에 크게 흔들리는 곳도 많다. 힘들게 앱을 시장에 내놓았는데 반응이 저조하거나 사용자와 커뮤니케이션에 마찰이 빚어지면 서비스의 지속성을 보장받기 힘들다. 그래서 전문가들은 앱으로 사업을 구상할 때 바로 스타트업으로 뛰어들기보다 하나의 '부업' 개념으로 다가서라고 조언한다. 기획 아이디어만 있고 마케팅이 전혀 없는 경우가 흔해 대박을 보장받는 꿈의 창업으로 섣불리 뛰어들었다간 오도가도 못 하는 처지가 될 수

팟게이트 본사 임직원들

있기 때문이다. 특히 모바일 관련 창업을 낭만적으로 보지 말라고 충고한다.

그런 면에서 이 두 사람의 시작은 독특한 케이스다. 틈새시장 선점이나 기술개발로 성공했다기보다 시장 니즈와 시의를 공략했다는 면이 더 정확하다. 세계적인 경영사상가 말콤 글래드웰Malcolm Gladwell은 "성공의 기회는 시대로부터 온다"라고 말한 바 있다. 성공은 당사자의 노력과 시장을 꿰뚫어 보는 안목만큼 성공의 타이밍이 있다는 뜻이다. 박 대표는 이 세 가지(노력, 안목, 타이밍)의 삼박자가 잘 맞아떨어진 사례다.

그렇다면 과연 그해 매출은 어느 정도였을까? 2010년 5월 창업 후 12월까지 7개월 동안 두 사람은 무려 2억 5천만 원의 매출을 올렸다. 그리고 2011년에는 무려 20억 원의 매출을 올렸다. 2012년 기대치는 100억 원이다. 국내의 내로라하는 앱 개발사치고 팟게이트에 한 번이라도 광고하지 않은 회사가 손에 꼽힐 정도다. 앱 포털이긴 하지만 개발사와 사용자 간의 융합으로 플랫폼으로서의 진화도 시작됐다. 창업 초기에는 갑자기 2천만 원을 들고 인수하겠다는 사람도 있었고, 1억 원을 제시한 곳도 있었지만 박 대표는 단호히 거절했다.

사업 영역을 확장하면서 직원도 충원했다. 무엇보다 신세대 감성을 잘 반영할 수 있는 인재를 찾아 나섰다. 그는 채용과정에서 다소 믿기 어려운 일도 경험했다.

"오드엠 창업 초기에 아버지가 하나님께서 회사에 좋은 사람을 심어주셨다고 하시더라고요. 그 후로 잊고 지냈어요. 알고 보니 아무것도 없이 시작했던 저와 합류했던 첫 직원이 바로 독실한 크리스천에 우연히도 아버지 지인의 따님이셨지요. 정말 이분을 하나님이 보내신 건가 하는 생각이 들었습니다."

화개장터 같은 시끌벅적한 앱 장터 만들고파

팟게이트에 회원사로 가입돼 있는 1200여 개의 개발사 중에는 국내 대기업의 모바일 앱 부서도 총망라돼 있다. 대부분의 기업 역시 모바일 앱을 빼놓고서는 시장의 인사이트에 접근하기 쉽지 않을뿐더러, 모바일 사업 추진에도 무리가 가기 때문이다. 또 팟게이트 특유의 빠른 피드백과 직설적인 리뷰도 많은 기업이 주목하는 부분이기도 하다. 이 개발사들 역시 앱의 테스트와 시장성 점검을 위해 팟게이트를 적극 활용한다. 개발사의 광고와 무관하게 내려받은 수로만 집계된다는 점도 신뢰를 가져오는 주요 요인이다.

2012년 5월초, 팟게이트는 재미있는 설문조사를 했다. 팟게이트 사용자 8409명을 대상으로 실시한 서비스 만족도로 아이폰 사용자 10명 중 9명은 앱을 내려받기 전에 반드시 다른 사람의 리뷰를 확인하는 것으로 나타난 것이다. 또 이와 함께 가장 인기를 끌었던 카테고리로 '오늘만 무료'와 '신규 무료'로 나타났는데 무료 앱에 대한 높은 수요를 반증하는 것이다. 사용자들은 다른 회원의 리뷰를 꼼꼼히 챙기며 자신이 내려받으려는 앱에 대해 최대한 정보를 찾아다니며 최종 다운로드를 결정한다. 앱 소비에서 리뷰의 영향력 확대와 무료 앱에 대한 관심이 높다는 것을 다시 한 번 확인할 수 있다.

박무순 대표는 이를 토대로 회원사마다 자사 앱을 홍보·마케팅할 수 있는 기회를 부여하고 혜택을 위해 여러 마케팅 경로를 개발하고 있다. 무엇보다 개발사가 직접 리뷰어로 참여해 앱을 노출할 수 있는 공간을 수시로 마련하고 있다. 실제로 개발사 대부분이 작은 규모의 소호창업으로 스타트를 끊은 곳이 많다. 때문에 개발비만 대기에도 벅찬 상황에서 광고비를 집행하기란 여간 힘든 일이 아니다. 저렴한 비용으로 가능한 마케팅 채널로는 입소문이나 SNS가 최상이다.

팟게이트는 이러한 개발사들의 취약점과 니즈를 알기에 마케팅 채널을 먼저 한곳으로 모으는 데 주력하고 있다. 이어서 사용자들의 리뷰를 통해 앱이 질적, 양적 성장을 동반할 수 있는 기회로 만들고 있다. 적은 비용으로 이에 맞는 광고상품을 집행할 수 있으며, 회원사로 등록, 인증을 받고 나면 다양한 기능 지원과 혜택을 누릴 수 있다.

개인 개발자나 군소 개발사라면 자신들이 개발한 앱의 다운로드 데이터와 사용자 소통에 가장 민감할 것이다. 팟게이트는 회원사들에 한해 무료로 개발사 앱 통계자료를 제공한다. 팟게이트 내 개발사 앱의 일일통계를 통해 매일 팟게이트와 한국, 미국의 앱스토어 순위 차트를 확인할 수 있다. 또한 '팟게이트 추천 리뷰' 코너에 개발사 앱

리뷰를 등록할 수 있으며, '팟게이트 추천 어플' 코너에 소개할 수 있는 기획을 제공한다. 추가로 앱톡 관리기능과 공식 인증마크를 제공하며, 검색 키워드를 등록할 수 있다.

무엇보다 개발사와 사용자 간에 가장 민감할 수 있는 부분을 꼽자면 단연 순위인데, 세간의 인기 있는 앱은 '인기 500'에서 확인할 수 있다. 이 역시 주간순위, 월간순위로 세분화해 그간 어떠한 앱이 인기를 얻고 사라졌는지 한눈에 살필 수 있다. 특히 '신규무료' 코너에서는 신규 등록된 앱을 실시간으로 보여준다. 앱 장터 등록 시 1시간에서 최대 24시간 내 반영한다. 순위는 인기순, 실시간, 가격순으로 구성된다. 게임, 엔터테인먼트, 유틸리티, 교육 등 각 카테고리도 세분화했으며, 한국과 미국의 앱스토어 순위, 아이폰과 아이패드 등 애플 기기에 맞춘 앱도 함께 있어 사용자 니즈에 맞췄다.

개발자를 위한 무료 공간인 '추천어플'도 주목할 필요가 있다. 오드엠은 팟게이트 내 '추천어플' 코너를 앱 개발사를 위한 무료 프로모션 공간으로 구성했다. 팟게이트에 등록한 개발사에 한해 이를 신청하면 운영팀의 심사 후 무작위로 노출된다. 이곳에서 1위로 노출되면 평균 5~10만 다운로드를 기록할 수 있는 시스템을 갖췄다.

박 대표는 공정한 순위정보 제공을 위해 광고 BM 등 주관적인 내용을 배제하는 것이 최우선 원칙이라며 앞으로도 시끌시끌한 화개장터처럼 좋은 리뷰, 나쁜 리뷰 구분하지 않고 모두 담아낸 재래시장 면모를 갖추고 싶어 한다. 차별화된 경쟁력으로 글로벌 시장에 도전해 안착하는 것이 그의 2012년 또 다른 목표이자 바람인 것이다.

아울러 개발자와 사용자를 위해 리딤코드를 비롯한 이벤트존, 기프트존 등 사용자가 유료 앱을 무료로 받을 수 있는 기회를 제공하고 있다. 개발사 입장에서는 이러한 이벤트를 통해 사용자에게 더욱 많은 앱을 소개하고 다운로드를 유도할 수 있다. 또한 앱딜이라는 신규 서비스도 곧 론칭할 계획이다. 이 서비스는 사용자들의 참여로 진행되는 이벤트로, 개발사가 이벤트할 앱을 정하고 나면 신청자가 모이는 수에 따라 가격이 내려가는 방식이다.

개발사들이 홍보를 목적으로 앱을 출시할 때 체험 마케팅 일환으로 사용하는 경우가 대부분이다. 하지만 오드엠은 앱 개발사들이 인지도가 낮을 경우 사용자의 주목을 끌지 못한다는 점에 착안, 이에 해결책을 제시하고자 이벤트 다양화를 꾀하고 있다.

개발사 지원에 대한 박 대표의 고민은 끝이 없다. 그는 개발사가 저마다 다른 OS별로 앱을 보유하고 있다는 점과 앱별로 홍보와 관리에 많은 시간과 비용을 투자하고 있다는 점을 주목했다. 박 대표는 팻게이트 사용자와 자동화된 데이터베이스 연동을 통해 효율적으로 앱을 홍보할 수 있는 기능을 추가하기로 했다. 바로 '팻게이트 타운'의 등장이었다. 타운은 개발사가 앱 전체 목록과 상세 데이터는 물론 사용자 피드백을 실시간으로 관리 가능하다. 또 종합순위 및 다운로드 수 등 각종 통계자료 분석은 물론 개발사별로 고객관리와 이벤트 코너 등 다양한 기능을 제공해 개발사 스스로 사용자와 소통하며 자연스레 홍보할 수 있는 기회를 마련했다.

기존 팻게이트의 확장판 개념인 팻게이트 타운은 2012년 오드엠의 주력사업 중 하나다. 주위 반응은 시큰둥하다. 보통 앱 서비스라면 사용자가 핵심인데 팻게이트 타운은 개발자를 위한 앱 서비스이기 때문이다. 과연 이것이 시장에 먹힐지 의문이라는 것이다.

그러나 박 대표 생각은 달랐다. 개발사의 각종 지원을 통해 앱이 양으로나 질적으로 좋아지면 그만큼 유저도 자연스레 형성될 것이라는 믿음이 앞선다. 일단 개발사 위주로 툴을 잡아가되 사용자의 니즈를 어떻게 조합할 것인지가 관건이었다. 박 대표는 이를 장기적인 포석으로 보고 절대 서두르지 않을 생각이다.

팟게이트, 진보냐? 보수냐?

박 대표는 팟게이트의 여러 성공요인 중 꾸준한 사용자 의견 반영을 우선으로 꼽았다. 그는 남보다 먼저 서비스를 시작한 것이 큰 도움이 됐지만, 그대로 나뒀다면 선점효과는 금방 퇴색했을 것이라며 선점효과 못지않게 개발사와 사용자 위주의 공간으로 개선해나간 점을 결정적인 성공요인이라고 밝혔다.

팟게이트 초기에는 사용자 간의 커뮤니티 코너는 크게 부각되지도 중요하지도 않았다. 매일매일 새로운 앱과 할인, 혹은 무료앱을 실시간으로 받아볼 수 있는 코너로 사용자 시선이 모아졌다. 하지만 시간이 지나자 사용자들의 리뷰가 예상 외로 많았고, 박 대표는 사용자들이 간단하게 리뷰를 작성할 수 있도록 곧장 게시판을 개선했다. 또 사용자가 글을 남기는 데 번잡한 과정을 최대한 단축했다.

혹시 처음부터 스마트폰에 탑재했다면 더 많은 사용자와 커뮤니케이션하면서 소통할 수 있는 기회가 마련되지 않을까?

"아이폰은 오래도록 KT에서 유통공급을 해왔기 때문에 쉽지 않았고요, 대신 안드로이드폰에 탑재하는 부분은 계속 얘기는 오가고 있어요. 그러기 전에 먼저 탑재해 유용하게 쓸 수 있는 서비스 개발이 우선이겠죠. 현재 구글플레이 환경에는 가격변동이 자유롭지 않아 '오늘만 무료'가 있을 수 없어요. 아이폰과 안드로이드폰 사용자 성향도 다르고요. 일단 서비스를 완벽히 개발한 후 다음 액션을 취하는 것이 순서일 겁니다."

아이폰과 안드로이드폰의 사용자 성향이 다르다는 것을 무엇을 말하는 걸까? 이를 이해하기 위해서는 두 운영체제의 특징을 간단히 살펴볼 필요가 있다. 애플의 iOS는 애플의 제품에만 탑재되어 있으며, 타회사에 라이선스를 제공하지 않는다. 반면 오픈소스 기반의 안드로이드는 OHA Open Handset Alliance를 통해 여러 제조사가 참여하는 형태다. 애플 대 연합군의 형태다.

iOS는 폐쇄적이다. 개발사 입장에서는 자체 검열을 거쳐야 하는 번거로움도 있다. 리셋을 당하는 사례도 빈번하며 사용자 개인정보 문제와 성인용 규제도 까다롭다. 그럼에도 구글플레이보다 더 강력한 시장성과 사용성이 있다. 반면 안드로이드는 오픈소스 기반으로 누구나 무료로 운영체제를 가져다 자신의 기기에 탑재할 수 있다. 얼마든지 수정도 가능하다. 오픈소스이자 무료라는 특징 때문에 급격히 환산되는 특징이 있다. 다만 연합군의 단말기 간의 호환성 문제도 발생하며, 다른 기기에 구동되지 않는 경우도 흔하다. 운영체제는 개방성을 모티브로 하지만 호환성과 더불어 시장성 역시 떨어진다. 또 구글플레이는 공짜 앱이 가득한 공간인 반면, 앱스토어는 등록 앱의 80%가 유료다. 애플이 통제권을 쥐고 있는 하나의 거대한 시장인 셈이다. 수익가능성은 네이티브 애플리케이션, 즉 아이폰 앱이 지닌 큰 강점이다.

이 연장선상에 놓인 것이 바로 각 운영체제별 사용자의 특성이다. 안드로이드폰 사용자가 아이폰 사용자보다 더 많지만 실질적으로 앱을 구매하고 피드백이 원활히 이뤄지는 공간은 아이폰, 즉 앱스토어다. 박 대표는 아이폰 사용자는 대부분 얼리어답터 성격이 짙은 20~40대까지 고르게 분포되어 있는 점을 주목했다. 스마트폰 확장의 원인이 된 것도 아이폰이 2009년 국내 정식 유통되면서였지만 원래 일본보다 1년, 미국보다 2년 늦은 시기였다. 그럼에도 사용자의 활발한 앱 다운로드는 세계 최고가 아닌가 하는 반문을 했다.

그는 또 상대적으로 안드로이드폰은 앱에 대한 사용자의 관심이 아이폰보다 적은 것이 사실이라며 공짜폰도 많아 연령대 차이가 크기 때문에 그런 환경에서 아이폰 팟게이트 수준의 영향을 유지하기는 쉽지 않다고 덧붙였다. 그럼에도 안드로이드폰을 공략하기 위한 계획은 분명했다. 폭넓은 사용자 연령층과 다양한 앱의 소개를 원하는 니즈를 반영해, 부모님 세대와 어린이에 특화된 서비스에 착수한 상황이다. 게임 관련 정보 서비스 앱도 개발 중이다. 자동추천 서비스보다 운영자가 직접 써보고 추천하는 질적으로 더 우수한 앱을 소개하는 퀄리티 있는 서비스가 중점이다.

오드엠은 사용자 리뷰를 실시간으로 확인한다. 운영자가 일일이 확인해 답변하는 식이다. 물론 오드엠 측에서 해결할 수 없는 불만이 게시될 때는 적잖이 난감하다. 일단 반응은 조금도 지체하지 않는다. 어떠한 리뷰도 똑같이 적용하고 있다. 초기부터 지금까지 중복결제에 대한 항의, 내려받은 앱의 실행문제, 인기게임 앱 무료 전환 요청, 가격표시 변경 문제 등 하루에도 다양한 민원이 쏟아진다. 기본적으로 앱의 무료나 할인은 시차문제가 있어 종종 현지 개발사와 오차가 나기도 한다. 몇 시간 차이로 무료가 유료로 바뀌는 일도 있다. 개발자와 사용자 간에 종종 민원이 발생하기도 한다. 어떤 곳에서는 일명 '알바'를 골라내겠다는 웃지 못할 해프닝도 벌어지기도 한다.

한번은 '팟게이트'라는 이름 때문에 생긴 일도 있다. 어떤 사용자들은 팟게이트에서 '나꼼수'를 찾기도 했다. 게시판에 나꼼수를 찾아달라는 요청이 올라오더니 팟게이트가 진보냐, 보수냐의 색깔론으로 패가 갈리기도 했다. 나꼼수는 팟캐스트의 방송 중 하나인데 비슷한 이름 때문에 생긴 에피소드였다.

CEO보다 개발자가 좋다

많은 사람이 모여 일을 하려면 체계가 필요하다. 해당 부서의 업무를 기획하고 업무분장을 해 여러 번의 회의를 거쳐 회사가 달성해야 하는 목표를 위해 뛰어야 한다. 역사가 오래되고 각 전문화된 사람이 많다면 당연히 구성원 간의 역할분담이 잘 짜였겠지만, 대부분의 벤처기업에게 그렇게 프로페셔널하게 바라기에는 무리가 있다. 대기업 특유의 경직된 분위기와 팀별로 제한된 활동영역은, 발 빠른 실행력과 아이디어를 최우선으로 삼는 벤처기업에게는 경계대상이 되기 마련이다. 이러한 것을 잘 알고 있는 박 대표는 까다롭게 절차를 만들고 프로세스에 따라 업무보다 바로바로 실행할 수 있는 업무와 창의력, 자유로움, 탄력 있는 업무시간을 선호한다.

　야근의 경우도 그렇다. 야근을 하고 나면 책상에 앉아 있는 만큼 확실히 쉬어줘야 할 때가 있다. 박 대표는 '과연 야근이 많은 업무가 효율성을 따져볼 때 타당한가?' 하고 되묻는다. 직원들이 즐겁게 일해야 창의력과 아이디어를 최대한 짜낼 수 있고, 활기찬 조직이 결국 회사의 성장으로 이어진다는 생각이다. 때문에 일정도 타이트하게 짜지 않고 여유를 둔다. 근무시간도 평일 9시 30분~6시 30분까지만이다. 물론 강제적인 면은 없다. 실행력과 추진력, 결과가 최우선이다.

그는 여전히 빠르게 행동으로 옮기고 결과를 중시하는 업무방식을 선호하고 있다.

오드엠은 박 대표 자신을 포함해 12명이다. 디자인팀 2명, 기획운영팀 4명, 개발팀 6명이다. 대표지만 그도 개발팀에 속해 있다. 단지 개발이 좋아서 직접 나서고 있다. 팟게이트의 아이폰 버전은 웬만해서는 박 대표가 100% 직접 나서는 편이다.

하지만 2012년 오드엠 사업영역 확장의 중요한 근간인 안드로이드 버전 플랫폼이나 탭키즈, 아이패드 부분 등 신규 플랫폼 개발과 시범운영은 각각의 직원들에게 모두 이관했다. 비록 작은 회사이지만 주먹구구식으로 일하긴 싫었다. 나름 계획을 잡고 전략을 세워 사용자가 원하는 서비스를 제공하고 싶었다. 그러기 위해서는 트렌드를 읽는 눈을 키우는 것이 무엇보다 중요하다고 생각했다.

"개발자는 데이터를 토대로 기본 베이스를 이끌되 방향과 취사선택에 대한 개발자 특유의 감을 무시해서는 안 됩니다. 저는 반드시 눈에 보이는 결과와 서비스를 만드는 것이 즐겁습니다."

CEO도 한 명의 사람인데 어찌 불편한 것이 없을 수 있겠는가. 회사라는 조직이 갖춰지고 팀과의 협업이 중요해지면서 기업의 비전을 공유하는 처지에 안 이사의 말을 어떻게 받아들여야 하는 것일까? 그래도 두 사람이 창업해 서서히 회사로서의 면모를 갖춰가는 것을 볼 때, 분명 그 이상의 다른 이유와 이런 면을 메워주는 매력이 있기 때문일 것이다.

벤처기업은 빠른 의사결정과 추진력이 생명이다. 순간 기업의 비전과 방향으로 기업의 흥망이 손바닥 뒤집듯 쉽게 판가름날 수 있다.

이런 면에서 박무순 대표의 눈에 보이는 결과를 중시하는 개발자 중심주의는 오드엠이 팻게이트라는 엔진을 통해 지금껏 성장할 수 있었던 요인이 아니었을까?

개발이 그저 재미있다는 그는 앞으로도 개발에서 손을 뗄 생각은 없다. 다만 문득 전문경영인이 필요한 것이 아닌가 고민이 들기도 한다. 외국처럼 60세 넘어서까지도 개발자로, 현역으로 남고 싶을 뿐이다. 일정한 경력을 갖추면 관리자로 자리를 이동해 실무에서 물러나야 하는 것은 생각할 수 없다. 그것 역시 그가 대기업 카드를 버린 이유 중 하나다. 그건 그렇고, 대표라면 이제 실무적인 것을 조금씩 직원들에게 믿고 맡겨도 되지 않을까?

"그렇지 않아도 2011년부터 제 주요 업무를 하나씩 직원들에게 이관하는 중이에요. 이젠 나무가 아닌 숲을 보기 위해 좀 더 움직여야 할 때인 것 같습니다. 지금을 제2의 창업기로 보고 시장변화를 예의주시하고 있습니다. 제가 모르는 또 다른 시장을 파악하기 위한 좋은 시기라고 봅니다."

시장 선점에서 세상을 바꾼 기술자와 그 기술을 자신의 것으로 만드는 것은 별개의 문제다. 그건 역사를 돌이켜봐도 이 공식은 그다지 성립하지 않았다. PC 시장도, 휴대폰 시장도, 스마트폰 시장도, 전화기도 마찬가지였다. 오히려 효율적인 조직구성과 전략이 시장을 더 많이 먹어치운 사례가 많다. 그 사실을 그 역시도 잘 알고 있었다. 박 대표는 후자 쪽이다.

그는 하루에도 몇 번씩 과연 자신이 몸담고 있는 이 서비스 시장이 과연 벤처가 이끌 수 있는 시장인가 되묻는다고 한다. 만에 하나라도 일정한 규모와 조직이 세팅된 기업이 시장에 뛰어들 경우 대처방안도 고민 중이다. 최근에도 모 기업에서 서비스를 인수하겠다는 제의도 있었고, 벤처캐피털의 투자문의도 여러 번 있었다. 하지만 그는 그 어떤 선택도 하지 않았다.

"벤처기업을 하면 벤처캐피털 투자를 받아야 하는 것이 반드시 거쳐야 할 관문처럼 인식돼 있는 것이 마음에 들지 않아요. 물론 서비스를 강화하고, 한 단계 더 나아가기 위해서 정말 필요하다면 그보다 좋은 것이 없죠. 하지만 굳이 투자받지 않아도 되는데 받을 필요는 없다고 봅니다."

오드엠은 아직 재정적으로 큰 문제는 없다. 사업적으로 크게 무리할 일도 없다. 사용자와 광고주를 위해 기존 서비스 강화에 더 집중할 뿐이다. 그는 오히려 사용자 니즈를 더 빨리 파악하고 이를 서비스에 적용하는 것이 급선무라고 입버릇처럼 말한다. 박 대표는 다른 후발 주자가 나와도 팻게이트가 꿋꿋이 살아남을 수 있었던 이유를 사용자 때문이라고 말했다.

그들이 매시간, 매일, 매달 보여주는 재방문율은 이 사실을 여실히 뒷받침한다. 팻게이트 사례에서 볼 수 있듯 광고주와의 지속적인 커뮤니티와 서비스 업데이트의 중요성이 의미하는 것은 치열한 시장 속에서의 생존, 그 이상이다.

팻게이트 서비스는 누구나 개발할 수 있는 보편적인 기술이라 독과점을 형성하고 자신만의 독자서비스를 창출할 것이라는 욕심은 아예 처음부터 없었다. 그에게 경쟁자가 늘어난다는 것은 오히려 반가운 일이었다. 자신의 길이 결코 틀리지 않았음을 보여주는 증거이기 때문이다. 박 대표는 팻게이트 목적을 마케팅이나 커뮤니티 공간으로만 한정하지 않는다. 사용자가 언제든 사용하기 편하고 유용한 앱을 찾아주기 위한 도구에 가깝다고 본다. 그런 베이스 안에서 개발사가 팻게이트 내에서 사용자와 커뮤니케이션하며 하나의 툴을 형성한다. 이런 과정 속에서 터져 나오는 부산물들이 팻게이트가 생산하는 비즈니스 모델이 된다. 나아가 팻게이트 타운 같은 서비스 같은 개발사에 유용한 툴을 개발해 다양한 콘텐츠를 생산할 수 있는 기회를 더욱 확장해 결국은 사용자와 개발사 모두 이득을 볼 수 있는 시스템이다.

팻게이트는 이미 확보된 사용자와 개발사가 있다. 이들이 만드는 콘텐츠와 피드백은 매일 이어진다. 이 부분이 후발주자와 격차를 더 벌릴 수 있는 요소가 된다. 아무래도 100명이 추천하는 인기 앱과 100만 명이 추천하는 인기 앱은 차이가 존재하기 마련이다. 같은 기준으로 앱을 추천하더라도 좀 더 많은 수의 객관적인 데이터를 적용할 수 있다. 개발사를 계속 지원하는 측면 역시 빼놓을 수 없는 요인이다. 이것이 앱의 지속성으로 이어진다. 한 번 깔고 몇 번 사용하다 지워버리는 앱이 아닌 사용자가 꾸준히 찾을 수 있는 루트를 꾸준히 생산하는 것이야말로 앱의 생명력이 된다.

채팅 앱의 경우 주변에 보면 카카오톡을 깔지 않은 사람을 찾기 어려울 정도로 대중화됐다. 그만큼 카카오톡을 쓰고 있는 지인과의 연계점이 많기 때문이다. 팻게이트도 마찬가지다. 기존 사용자가 남긴 정보와 커뮤니티가 많기 때문에라도 팻게이트의 리뷰가 이들에게 차지하는 비중이 높다. 사용자와 개발사가 함께 만날 수 있는 그 지점, 팟게이트가 지향하는 곳이다. 그리고 그것이 바로 그가 꿈꾸고 있는 앱 생태계이기도 하다.

짧은 시간에 순위 올리는 팁

앱스토어에서 1등과 5등, 25등, 50등, 그 이하의 매출 차이는 엄청나다. 어느 연구자료에서 1등과 50등의 차이는 매출 30배 차이다. 그만큼 랭킹 자체가 중요하고, 랭킹 안에 들지 못하면 내려받기는 물론, 노출 자체가 어렵다. 이 냉혹한 시장이 바로 애플리케이션이다. 그렇다고 1등이 반드시 좋은 것만은 아니다. 단발성이 아닌 지속성을 유지해야 한다. 대부분의 앱이 조금만 인기가 좋다 싶으면 유사한 카피 애플리케이션이 등장한다. 이들과 경쟁해 시장을 빼앗기지 않으려면 앱의 꾸준한 업데이트와 시장조사, 사용자와의 커뮤니케이션이 필요하다.

그는 사용자의 의견에 늘 귀를 기울이고, 기대 이상의 효과를 볼 수 있도록 서비스 수준을 높이는 것이 중요하다며 앱스토어 랭킹은 애플이나 회사가 정할 수 있는 부분이 아닌, 사용자가 정해주는 것이라고 말한다. 그만큼 첫 홍보 루트가 중요하다는 의미다.

팟게이트에서 홍보효과를 보기 위해서는 어떤 전략을 펼쳐야 하는지 묻자 그는 팟게이트에서 노출이 가장 많이 되기 위해서는 인기순위 25위 안에는 들어야 한다면서 한 번에 마케팅을 집중할 필요가 있다고 귀띔한다. 팟게이트의 순위결정 방식이 짧은 시간 내 신규 앱의 다운로드 수를 높이는 것이 순위를 높이는 비결인 셈이다. 쉽게 말해 하루에 500~1000명이 앱을 내려받는 것보다 한 번에 3000명이 내려받는 것이 순위상승에 더 도움이 된다는 것이다. 그렇다면 개발사 입장에서는 국내시장이든 해외시장이든 순위부터 올려놓는 것이 급선무일 것이다.

"대부분 개발사 광고주들 역시 팟게이트를 타깃으로 마케팅하는 이유 중 하나가 바로 이러한 목적 때문입니다. 앱은 무조건 사용자 눈에 띄어야 합니다. 그러기 위해서는 굵고 짧은 마케팅 집중 전략이 필요할 것입니다."

박 대표는 우선 마케팅을 지지부진하게 끌지 말아야 한다는 점, 그리고 분산홍보를 하지 말라고 충고한다. 짧은 시간에 최대 효과를 봐야 하는데 출시 후 2~3일 안에 집중하는 게 가장 좋다. 마케팅 역시 카페, SNS, 블로그 등으로 나누지 말고 그 기한 안에 하나로 집중하는 것이 필요하다. 만약 유료로 광고한다면 띠 배너와 이벤트 간격을 남기지 말고 하루 이틀 몰아서 하면 순위 상승효과가를 기대해볼 만하다. 가장 중요한 것은 팟게이트 서비스 앱은 자동으로 등록되지만, 인기순은 다운로드 순으로 결정된다. 때문에 리뷰나 각종 이벤트 등을 통해 사용자의 흥미를 끌어낼 필요도 있다. 앱 신규 출시나 가격할인 혹은 무료변경을 하면 자동으로 팟게이트 데이터베이스에 등록된다. 앱톡을 통해 실제 사용기와 사용자 간의 커뮤니케이션이 활발할수록 앱톡 최신 상단 등에 노출이 쉽다.

이어 팟게이트 다운로드 주소를 외부에 공유해 사용자를 모으면 인기순에 그대로 반영된다. 개발회원사로 가입하면 무료로 '추천 어플' 코너에 등록신청 및 추천리뷰에도 사용기를 등록할 수 있다. 또 개발사 권한으로 앱톡, 쪽지 등을 통해 사용자와 직접 소통 가능하며 매일 다운로드 데이터 분석도 가능하다. 재정적으로 여유가 있다면 팻게이트 광고 프로그램을 통해 직접적인 홍보공간을 할당받은 후 사용자들을 위한 푸시메시지도 고려해볼 만하다.

무엇보다 전체적인 흐름상 새로운 유저를 많이 확보하고 순위 상승을 위해서는 박 대표의 말처럼 초반에 강하게 밀어붙이고, 어느 정도 숨고르기를 하는 것이 더 유리하다. 이어 한 달 정도 마케팅을 쉬면서 신규 스마트폰 사용자가 많이 생기면, 다시 한 번 집중적으로 광고하는 전략을 택하는 것이 순위 상승에 도움이 된다.

"어떤 개발사들은 팻게이트 내 노출을 위해 수시로 일시적으로 가격을 변동하는 곳도 있어요. 대부분의 사용자는 이런 앱에 대해 의아해하면서도 곧 익숙해지긴 하지만 일부는 불만을 제기하기도 합니다. 개발사들도 우리 고객이지만, 사용자들 역시 우리 고객입니다. 앱을 찾는 사용자가 있어야 개발사들도 산다고 생각합니다."

앱스토어에서는 개발사가 언제든지 임의로 가격을 변동, 책정할 수 있다. 처음부터 유료앱으로 등록했지만, 추후 사용자의 관심이 떨어지거나 그 반대의 경우를 위해 가격을 무료로 전환하거나 할인할 수 있다. 새로운 가격정책으로 다시 한 번 앱의 유동성을 확보하기 위해서다. 하지만 문제는 이를 악용하는 깃에 있다. 빈번한 가격변동은 사용자에게 혼동을 주고 신뢰를 잃기 쉽다. 이런 부분 역시 사용자 리뷰를 통해 걸러낼 수 있는 근간이 된다.

이처럼 살아남기 위한 개발사들의 노력은 상상 이상이다. 팻게이트 내 '오늘만 무료' 코너는 무료화하고 난 후 3일 동안만 팻게이트 내

다운로드 수가 순위로 반영된다. 때문에 몇몇 개발사들은 순위 상승을 위한 갖가지 편법을 동원하기도 한다. 번번이 가격을 갱신하거나, 서비스 방향만 약간 바꿔 다운로드를 유도한다. 박 대표는 이에 대한 제재도 어느 정도 필요하다고 여긴다. 결국 한 달에 몇 회 이상 가격을 변동하면 노출에서 제외하는 등 서비스의 질적 저하와 시스템의 악용을 막기 위해 다각적인 정책을 내놓고 있다.

그는 한 가지 더 잊지 말아야 할 것이 있다고 조언한다. 바로 '랭킹을 유지하고자 하는 노력'이다. 그러기 위해서는 앱스토어나 팟게이트에 좋은 리뷰를 유도하고 여기저기 인터넷 커뮤니티나 SNS를 통해 좋은 리뷰가 퍼지도록 힘써야 한다. 하지만 사용자들은 대단히 특별하거나 신기한 앱에만 리뷰를 남기는 특성이 있다. 만약 자사 앱에 리뷰가 아예 달리지 않는다면 그것이 평범하다는 사실을 인정해야 한다는 것이다. 사용자 한 명 한 명이 남기는 리뷰를 중요하게 생각하고, 부정적인 리뷰 역시 진지하게 답변하고 개선하는 노력을 기울일 때 사용자를 감동시킬 수 있다. 이러한 개발사로서의 의지를 보이는 것이 중요하다.

앱 시장, 개수에 쫄지 말라

혹자는 이미 앱스토어, 구글플레이, 마켓플레이스의 앱이 이미 포화 상태라고 한다. 또 애플리케이션 시장이 경쟁이 치열해 이미 레드오션화되었다고 선을 그은 이도 있다. 신생업체가 앱 하나로 전체 1위를 하기란 하늘의 별 따기란 말도 나온다. 특히 우리나라 시장은 무료버전이 활성화돼 유료 앱으로 수익화하기는 만만치 않다고 한다. 하지만 아무리 힘들다고 해도 길은 있는 법이다. 박 대표는 레드오션이라는 말 자체를 경계한다.

"레드오션요? 아마도 앱을 출시했을 때 경쟁이 힘들거나 수익으로 연결되지 않았을 때 자주 나오는 말이 아닌가 싶어요. 물론 하루도 수백 개씩 나오는 시점이지만, 앱스토어 역시 신규 앱에 좀 더 유리한 구조를 갖고 있거든요. 이를 반대로 해석하면 자신이 다른 사업을 하다가도 앱만 좋다면 언제든 성공기회가 있다고 봅니다. 이런 것이 앱 생태계인 것 같아요. 레드오션이라는 말을 단순히 앱이 많다는 것만으로 결정짓기는 조금 무리가 있지 않나 싶네요. 50만 개 이상이 앱과 경쟁한다고 생각하지 말고, 순위 25위 안의 앱과 경쟁한다고 보면 더 편할 것 같습니다. 좋은 아이디어가 있다면 벤치마킹해서 더 좋은 앱을 만드는 것도 가능하겠지요."

그는 팟게이트를 운영하다 보니 앱 시장에 일정한 공식이 자리 잡고 있다는 것을 알았다. 그는 이를 두고 '살아 움직인다'라는 표현에 빗댄다. 일단 앱을 개발하면 누구에게나 동일한 기회가 주어진다는 것이다. 안소연 이사 역시 뭐든지 짬을 내서 해볼 것을 강조한다. 준비하는 사람에게 기회가 있다는 것이다. 두 사람은 대신 반드시 기획 단계부터 마케팅이나 프로모션에 대한 계획을 세워야 한다고 한 목소리를 냈다.

초기 호기심을 유발하거나 말초신경을 자극하는 이미지나 문구로 순위에 진입할 수는 있다. 하지만 품질이 뒷받침하지 않는다면 그 순위는 곧 생명을 잃게 된다. 또 새로운 앱을 개발해야 하는 처지가 쳇바퀴처럼 굴러갈 수 있다. 아무리 앱이 좋아도 사실상 서서히 랭킹이 추락하는 것을 막을 공산은 없다. 사용자라면 그 누구라도 새로운 서비스를 갈망한다. 그것이 인지상정이다. 어쩌면 진정한 마케팅은 랭킹에서 벗어난 시점이 더 중요할 수 있다. 따라서 처음 앱을 론칭한 후 사용자의 추이를 지속적으로 살펴보고, 그 이후까지 대안과 방향을 모색해야 하는 것 역시 잊지 말아야 할 것이라고 조언한다.

"앱으로 창업할 때 이것저것 많이 만들려고 하는 분이 계세요. 나쁘지 않지만 그만큼 목적이 명확했으면 해요. 덧붙여 시장의 구조와 사용자의 노출 계획도 세워놓을 필요가 있습니다. 여기서 한 가지 더 고민해야 할 것이 무료 앱 이후의 비즈니스 방안입니다. 무료 앱으로 사용자를 늘려 광고를 게재하면 BEP가 계획대로 맞춰질까요? 굉장히 잘 만든 유료 앱이 아니라면 웬만해서는 수익내기 쉽지 않은 구조인 것 같습니다. 하지만 어느 일이든 손쉬운 것은 없다고 봅니다. 도전해서 시행착오를 겪으면서 성장할 수 있는 내성을 키워야 합니다."

박 대표는 한번 가볍게 앱을 만들어서 출시해보면 애플리케이션 시장을 금방 알게 될 것이라고 했다. 그는 초창기만 해도 너도 나도 1인 창업을 권하며 황금알 낳는 산업이라고 홍보도 많았지만 현재는 아니라고 했다. 냉정하게 시장을 볼 필요가 있음을 강조했다. 박 대표는 또한 '수익'보다 비즈니스 모델에 시간을 더 투자하길 권했다. 더불어 마켓 크기도 함께 파악해야 한다고 했다. 그는 무료 앱을 출시하더라도 사용자의 피드백을 경험할 수 있다는 것 자체가 큰 경험이 될 것이라며 누구든지 도전해볼 수 있는 매력적인 시장임에 목소리를 높였다.

오드엠 자체에서도 박무순 대표는 직원들과 색다른 아이템에 대해 대화할 기회를 자주 마련한다. 이 과정 속에서 그는 늘 사용자를 우선해야 한다는 말을 빼놓지 않는다. 또 사용자가 어떤 점을 높게 평가했는지, 또 어떤 과정이 불편했는지 면밀히 따진다. 개발 비용이 얼마나 드는지, 투자를 어떻게 받을 것인지, 어떤 모델을 구현할 것인지, 광고는 어떤 경로로 유치할 것인지 등은 차후 문제일 뿐이다.

개발사들은 보통 신규 앱 출시 후 곧 후속 앱 개발에 착수한다. 이때 역시 홍보를 위한 마케팅 비용 집행이 쉽지는 않을 것이다. 크로스 마케팅을 통해 앱끼리 네트워킹할 수 있는 구조를 형성할 수 있다면 그만큼 새로운 사용자 확보를 위한 비용과 시간에서 그만큼 절감할 수 있다. 이것이 곧 자기자생력으로 이어질 가능성이 높다. 이 때문에라도 잠깐 반짝이는 앱은 지양해야 한다고 그는 말한다. 계속 유입될 수 있는 장치를 만들어 사용자 위주의 연결고리도 확보해야 한다고 강조한다.

"추가로 앱을 개발할 경우 기존의 앱이 어느 정도 알려져 사용자가 많으면, 이를 또 하나의 마케팅 채널로 이용할 수 있습니다. 쉽게 말해, 팟게이트 내 '팟게이트G'를 소개하는 식이죠. 신규 앱을 소개할 수 있는 창구로 기존 앱을 얼마든지 활용 가능한 방법입니다."

박 대표는 또 법인 전환 후 세무사와의 인연도 중요하다고 했다. 한번은 세무사를 잘못 만나 기장이 엉터리로 처리돼 있던 곤혹스러운 경험을 치른 적이 있다. 세금과 연관돼 있는지라 여간 꼼꼼히 처리해야할 부분이 아닌데도 이를 간과했던 것이다. 박 대표는 더 적극적이고 전문적인 세무사를 찾아 나서라고 충고했다. 그는 세무사 못지않게 법률적인 조언자도 갖출 것을 당부했다. 초기 창업자들은 아무래도 특허와 관련한 법률에 약할 수밖에 없다. 이때 법률적인 조언을 받을 수 있다면 큰 도움이 될 것이라고 했다.

해외시장 진출, 두고 봐

초반 인지도로 필수 앱으로 자리매김한 팟게이트. 박무순 대표는 2012년을 초과적인 액션과 함께 장기적 플랜과 비전을 세우고, 다시 한 번 도약할 해로 꼽았다. 이제와 다른 새로운 개념으로 팟게이트에 접근해 새로운 서비스 설계에 박차를 가하고 있다.

오드엠의 주력사업인 팟게이트는 2012년 아이폰 외 플랫폼과 PC 버전 공략 계획을 세웠다. 더불어 그는 해외시장 진출에 대한 꿈을 숨기지 않았다. 번뜩이는 아이디어로 중무장한 이이라면 누구나 꿈꾸는 해외 앱스토어 진출이다. 전 세계 앱스토어에서 세계에서 내로라할 앱과 경쟁할 수 있다는 것은 그만큼 꿈을 이룰 기회와 비전을 가질 수 있다는 것이 아닐까? 그래서 박 대표는 영어 책도 틈나는 대로 손에 쥐고, 학습 앱도 틈틈이 내려받아 공부에 매진하고 있다.

"앱 개발자라면 누구나 가급적 해외시장을 겨냥할 필요가 있습니다. 되도록 기획단계부터 해외시장을 염두로 밟아가다 보면 반드시 기회는 올 겁니다. 시장을 넓게 보세요."

그는 사용자가 늘 찾을 수 있는 콘텐츠 개발자로 남고 싶다고 했다. 또 해외 사용자와 국내 사용자도 함께 만날 수 있는 가교 역할의 꿈을 굳이 숨기지도 않았다. 대부분 사람들은 사업을 하는 데 가장 중요한 것은 '아이디어'라고 손꼽는다. 하지만 일을 하다 보면 '사람'이 무엇보다 중요하다는 것을 깨닫는 데에는 오랜 시간이 걸리지 않는다. 물론 늘 필요한 것이 '자금'이라는 것은 새삼 강조할 필요도 없다. 하지만 사업의 성공과 실패를 가늠하는 것은 바로 '타이밍', 즉 때When이다. 세상을 뒤집을 만한 신기술이 시대를 너무 앞서 나오는 틈에 오히려 사장된 사례를 우리는 많이 봐왔다. 초반 인지도의 타이밍을 잘 맞춘 팟게이트의 플랫폼 전략이야말로 그 중요성을 깨닫게 해준다.

4

백만 달러 사나이 이야기
i사진폴더

인사이트미디어 유정원 대표

유정원 대표
연세대 교육학과를 졸업했다. 이후 삼성SDS e- Biz TF팀, 야후코리아, 싸이월드 서비스 운영 팀장, 다음커뮤니케이션 콘텐츠비즈니스팀장, NHN 콘텐츠사업팀 과장, 블로그칵테일(올블로그) 부사장을 역임했다.

왜 'i사진폴더'인가?

유정원 대표는 국내 유명 포털에서의 다양한 경험을 바탕으로 인사이트미디어에서 모바일 사업을 성공으로 이끌었다. 사실 앱 하나로 연간 100만 달러 이상의 수익을 내는 것은 녹록치 않다. 그 내면에는 처음부터 글로벌 시장을 타깃으로 접근한 면이 크다. 또 하나 이유를 들자면, 사용자와의 철저한 커뮤니케이션을 바탕으로 지속적인 편의성을 제공했다는 점이다. 이는 한국 앱스토어에서 1위를 가장 많이 한 앱을 내놓은 회사로, 또 가장 많은 앱을 출시한 회사로 거듭나는 원동력이 됐다. 국내 아이폰 사용자 두 명 중 한 명은 인사이트미디어 앱을 사용하고 있다고 해도 과언이 아니다. 그동안 출시한 40여 개의 앱이 모두 애플 제품에서만 작동한다. 그런 그가 안드로이드폰 시장 공략화에 나섰다. 다만, 앞서 반드시 수반해야 할 것이 있었다. 투자유치와 스마트폰 탑재 여부였다. 마침내 그는 이 두 가지를 해내기에 이른다.

교육학과 출신인 그는 기본적으로 상대를 먼저 배려하는 습관이 몸에 배어 있다. 그래서 지금도 첫째도 사용자, 둘째도 사용자다. 내부 고객인 직원들 역시 마찬가지로 사용자다. 내부 고객을 만족시켜야 외부 고객을 만족시킬 수 있기 생각 때문이다.

애플 앱스토어가 발표한 '역대 최고 유·무료 앱 톱 25Top 25 All-Time'에서 'i사진폴더'가 한국과 일본 앱스토어 유료앱 부문 '한/일 Top 3'로 선정된 사실은 인사이트미디어뿐 아니라 국내 많은 개발사에도 시사하는 바가 크다.

앱 하나로 100만 달러 수익?

i사진폴더는 애플이 2012년 2월 발표한 '역대 최고 유·무료 앱 톱25'에서 한일 유료앱 부문 톱 3에 선정되었다. 이 발표는 특히 2008년 7월 앱스토어 오픈 이후 총 57만 개 앱을 대상으로 3년 7개월 동안의 인기 앱을 애플이 공식적으로 밝힌 것이어서, 앱 개발사로서 인사이트미디어의 입지를 다시 한 번 굳힌 계기가 됐다. 매출 역시 대박이었다. i사진폴더 앱 하나만 무려 100만 달러의 수익을 기록했다. 업계에서는 유틸 카테고리의 단일 앱으로는 이례적인 사례로 보고 있다. 이 앱은 일본에서도 2년 연속 가장 많이 팔린 아이폰 앱으로 선정되기도 했다. 특이하게도 i사진폴더 앱은 국내보다 일본에서 먼저 주목받았고, 이후 검증된 힘을 바탕으로 미국 등 북미시장에도 연착륙에 성공한다. 처음부터 세계시장을 타깃으로 했기에 최종 매출은 아무도 장담할 수 없다.

만약 유정원 대표가 국내시장만을 타깃으로 했다면 이 정도의 매출은 기대하기 어려웠을는지도 모른다. 최근에는 국내시장도 유료 앱의 수요가 조금씩 늘고 있는 추세이긴 하다. 하지만 대부분 국내 앱 개발사의 수익구조가 무료로 회원을 확보한 다음 광고수익을 기대하는 방식이 주이기에 당장 수익 없이 회원을 확보하는 절차도 만만치 않다. 회원을 확보하더라도 원하는 만큼의 광고수익이 따라올 것이라고 누구도 장담할 수도 없다. 워낙 경기를 민감하게 타는 시장이 앱 생태계이기 때문이다.

처음부터 전 세계 사용자를 타깃으로 한 i사진폴더는 유정원 대표에게 이제 월 1억 원 이상의 매출을 고정적으로 올려주는 효자품목이 됐다. 이 앱 하나로 일본과 중국 앱스토어 다운로드 건수 1위도 기록

미국 및 일본 앱스토어에서 1위를 차지한 라디오알람(좌)과 i사진폴더(우)

했고, 특히 일본 앱스토어에서는 사진 카테고리에서 약 20주간 1위를 차지하기도 했다. 2010년 전체 유료 누적 다운로드 순위도 8위로 기록될 만큼 스테디셀러인 셈이다.

이것으로 끝이 아니었다. 2010년 4월 론칭한 i사진폴더 앱에 이어 3개월 후인 7월, 또 한 번 전 세계 사용자를 타깃으로 한 '라디오알람' 앱이 마침내 미국 앱스토어 음악 부문 1위, 전체 14위를 기록하며 인기몰이에 나섰다. 인기 앱의 본고장인 미국 앱스토어에서 먼저 이룬 라디오알람의 성과도 가시적이지만, 아이패드 버전인 '라디오알람 HD'도 같은 시기 미국 아이패드 앱스토어에서 유료 부문 전체 20위를 기록했다. 라디오알람 앱은 기본적으로 타이머 기능과 함께 자동 시작기능이 있어 타이머를 맞춰 놓고 라디오를 들으며 취침할 수 있다. 절로 잠들었다가 아침이 되면 자신이 즐겨듣는 아침 라디오 소리가 알람을 대신한다. 이 역시 한국·일본·프랑스 앱스토어 전체 1위를 마크했고, 이어 Apple 공식 웹사이트는 물론, USA TODAY, Gizmodo, Mashable.com이 추천하는 애플리케이션이 됐다. 때마침 뉴아이패드 출시와 함께 다운로드 수는 꾸준히 상승곡선을 타고 있다. 뿐만 아니라 라디오알람은 삼성전자와 소프트웨어 라이선스 계약을 완료해 제2의 도약을 꿈꾸고 있다. 2012년 5월부터 라디오알람은 삼성전자 안드로이드 단말기인 갤럭시S3를 포함한 카일, 아이보리 등 3개 스마트폰 탑재 개발작업을 완료하여 출시했다. 또 LG U+ 070 인터넷전화에도 기본 탑재되면서 텐밀리언셀러 반열에 올랐다. 유 대표는 2012년 최소 1천만 사용자 확보를 목표로 하고 있다.

라디오알람과 라디오알람 HD는 미국 AOL그룹의 라디오 스트리밍 서비스인 샤웃캐스트www.shoutcast.com 사이트에 내 방송 알리기와 제휴해 전 세계 5만여 개의 음악, 뉴스, 스포츠 방송, 토크쇼, 드라마 등 다양한 라디오 채널을 제공하고 2012년 현재 123개국 앱스토어에서 12개 언어로 서비스 중이다. 유정원 대표는 2012년에 라디오알람과 라디오알람 HD 앱 비즈니스 확장에 피치를 올릴 계획이다.

두 앱 모두 처음부터 글로벌 사용자를 타깃으로 개발한 앱이었다. 세계 시장에서 두각을 보인 이 앱들은 해외시장을 돌아 한국 앱스토어에서도 좋은 성과를 내고 있다. 2010년 7월 출시한 라디오알람은 한·중·일 등 아시아 1위를 시작으로 전 세계 파워 블로거의 리뷰는 물론 수많은 매체에 소개된 바 있다. 특히 그 사이 연 30회가 넘는 업데이트를 감행했다. 꾸준한 업데이트 역시 '서비스'라는 생각에서다. 말 그대로 인사이트미디어는 사용자가 직접 요구하기 전에 먼저 시장의 수요를 예측하고 앱을 출시한다. 시장에서는 '이런 기능의 앱이 있으면 좋지 않을까?' 하고 생각하는 찰나 앱을 찾게 되고 곧 수요로 이어진다. 그 누구도 '아이폰에 나만이 볼 수 있는 사진폴더를 만들어주세요'라든지 '아침에 내가 즐겨듣는 라디오가 절로 나오게 하고 싶어요'식의 요구는 없었다. 모두 생활에서 착안한 아이템이었고 이를 즉시 실행에 옮긴 것뿐이다. 이는 나아가 사용자 니즈와 함께 앱 판매 수익모델을 통해 이른바 인사이트미디어만의 '앱 이코노미' 시장을 형성하고 있다.

앱 출시 이후 사용자들의 다양한 의견을 반영한다는 것은 그만큼 돈 한 푼 들이지 않고도 앱의 단점을 보완하고 다양한 무기를 장착, 경쟁력을 확보할 수 있는 가장 효과적인 툴이 된다. 사용자 역시 틈틈이 업데이트되는 요소를 통해 작은 의견 하나라도 반영하는 개발사의 모습을 보며 신뢰는 물론 나아가 충성고객이 된다. 유 대표는 사용자의 작은 목소리 하나라도 그냥 흘려들어서는 안 된다며 "그들 개개인이 얼마나 영향력 있는 사람인지 아무도 모르지 않냐"라며 늘 사용자의 목소리에 귀 기울이는 것이 개발사의 첫 번째 사명임을 강조했다. 그는 '별것 아니야' '그건 사소한 거잖아' 하고 여기는 것일수록 확실히 서비스에 반영하는 습관이 강하다. 직원들도 유 대표처럼 자연스레 이런 과정이 몸에 뱄다.

앱 하나로 상위 4% 안에 속하는 매출을 위한 커트라인이 100만 달러 이상 기록해야 한다는 것이 암암리에 업계에 알려진 사실이다. 이 정도의 수익마저도 우리나라에서는 게임빌, 컴투스, JCE 등 모바일게임 분야에 한정되어 있다. 어지간해서는 유틸리티 앱이 파고들기 쉽지 않은 매출이다. 하지만 인사이트미디어는 둘씩이나 히트시킨 것이다.

인사이트미디어는 온라인 PR 마케팅 대행사였다?

유정원 대표는 3년 내 순매출 300억 원 이상 달성이 목표다. 2012년 3월에는 벤처캐피털로부터 20억 원 규모의 투자유치에 성공하면서 사업 확장에 박차를 가했다. 사실 앱스토어나 구글플레이(구 안드로이드 마켓), 마켓플레이스 등에 올라온 전체적인 앱의 수만을 놓고 볼 때 그 수는 많지만 혹자는 상위 20위권과 경쟁한다고 생각하면 더 효과적으로 접근할 수 있을 것이라는 의견도 내놓고 있다.

중요한 것은 업체가 앱 하나를 개발해서 앱스토어에서 1위를 하기란 결코 쉬운 일이 아니라는 데 있다. 앱 시장 역시 만만히 봐선 곤란하다. 시장이 성숙하고 있는 단계에서는 특유의 차별화와 전략, 그리고 시장 인사이트가 바로 서야 한다. 그런 면에서 유 대표가 해외를 타깃으로 한 앱 개발의 비중을 높인 이유를 알아볼 필요가 있다.

인사이트미디어의 강점은 뚝심이다. 앱을 기복 없이 개발하고 출시하면서 꾸준히 자사 브랜드를 구축했다. 그 수만큼 사용자 입에 오르내리기 시작했다. 2009년 12월, 인사이트미디어 최초 1호, 2호 앱이 동시 출시됐다. 이후 40여 개의 앱을 연이어 출시했다.

국내 앱스토어는 해외와 달리 유·무료에 대한 간극이 큰 편이다. 실제 유료 구매율이 전체 사용자의 5% 남짓임을 감안할 때, i사진폴더나 라디오알람 같은 유틸 분야의 경우는 전적으로 사용자 편의에 비중을 높일 필요가 있었다. 유 대표는 이점을 예의주시했다.

최근 신규 개발사들이 자주 사용하는 가격정책의 하나로 '앱 내 구매In-App-Purchase'라는 방식이 있다. 일단 무료 앱을 시장에 내놓은 후 일부 기능에 만족을 느낀 사용자가 유료로 구매하는 방식이다. 유정원 대표는 전적으로 효율성을 위주로 계산했다. 유료 앱은 확실한 유료 정책으로, 글로벌 타깃은 확실하게 세계 시장을 겨냥한 것이다. 한국에서 성공한 케이스가 해외에서 성공하는 공식보다 해외에서 먼저 성공해 입소문을 탄 앱이 한국에서도 성공한 사례가 많은 것을 볼 때 처음부터 해외를 목표로 한 개발정책은 손발이 잘 맞아떨어졌던 노림수였다. 2010년 1월에는 해외 매출이 20% 남짓이었지만, 2011년 7월에는 81%로 가파른 상승세를 탔다.

해외에서 사용자 간에 먼저 검증된 앱이라 이를 토대로 국내시장에 진출하는 것은 크게 어렵지 않았다. 홍보나 마케팅에 대한 부담을 크게 갖지 않아도 됐다. 사실 인사이트미디어는 스마트폰 앱 시장에 진출하기 전에 SNS 홍보와 미디어 마케팅 전문회사로 더 많이 알려져 있었다. 그러다 스마트폰 빅뱅에 맞춘 글로벌 패러다임 변화를 눈치채고, 국내 아이폰 출시 전부터 이미 국내외 스마트폰 사용자를 타깃으로 앱 개발에 한 발 먼저 착수했다.

매출구조도 확연히 나뉜다. 2010년까지만 해도 IT 서비스업체 하도급이나 인터넷 마케팅 대행 매출이 대부분이었지만, 2011년부터 수익구조가 바뀌고 있다. 유료 앱 매출이 총 매출의 78%나 차지했던 것이다. 동시에 SNS 홍보와 미디어 마케팅 경험을 바탕으로 사용자 니즈를 실시간으로 파악하고, 이들의 반응에 즉시 대응해야 하는 홍보·마케팅 업무의 비중을 높였다. 특성상 앱을 개발하는 데도 역시 사용자 반응을 우선해야 하는 것을 누구보다도 잘 알았던 이들은 이를 적절히 업데이트에 반영하며 사용자 신뢰 확보에도 소홀하지 않았다. 유 대표는 모바일(온라인) 광고 분야에서 깨끗이 손을 털고, 앱 개발과 마케팅에만 매진할 수 있도록 수개월 안으로 사업 중심을 옮길 계획이다.

앱 개발에서 가장 중요한 것을 꼽으라면 단연 빠른 시장반응이 아닐까? 인사이트미디어에서 내놓은 제품 대부분이 해외시장을 우선 타 깃으로 삼은지라 하루에도 수십, 수백 건의 문의와 오류 신고로 쉴 틈이 없다. 낮에는 아시아, 밤에는 북미·유럽 등지에서 갖가지 문의 나 오류사항에 대한 신고가 접수된다. 시차가 어긋난다고 해서 시간 을 지체해서는 안 되기에 순서대로 접수하되, 대응은 민첩한 편이다.

또 하나의 골머리를 들자면 단연 외국어 번역 문제이다. 최근 부쩍 바빠진 손놀림 때문에 책상 여기저기서 직원들이 내쉬는 한숨소리는 끊이지 않지만 열기만큼은 후끈하다. 이미 세상에는 비슷한 종류의 앱이 수없이 많이 출시돼 있는 상태고, 사용자의 휴대폰 속으로 파고 들기 위해 경쟁해야 한다. 그 때문에 사용자와의 커뮤니케이션은 거 의 실시간으로 이뤄질 필요가 있다고 해도 과언이 아니다.

그렇다면 인사이트미디어가 해외 사용자를 타깃으로 한 적극적인 행보는 언제부터, 어떻게 진행됐던 것일까? 인사이트미디어 첫 작품 인, 영어 연설문 원서와 사진을 결합해 세계적으로 다운로드 100만 이상을 기록한 '북앤딕-시리즈'를 주목할 필요가 있다. 이 앱은 해외 시장 가능성을 점치는 데 중요한 역할을 했다. 북앤딕 시리즈는 라디 오알람과 함께 '코리아모바일어워드 2010 모바일 앱 어워드' 부문에 서 유일하게 2개 부문을 수상(T-Store상, KT olleh 마켓상)하기에 이 른다. 전 세계 명화 1천 점 이상을 한군데 모아 작품과 작가를 소개한 '세계의 명화'도 60만 건의 다운로드를 기록한다. 인사이트미디어는 이후 출시한 앱 대부분을 유료로 출시하기에 이른다.

유 대표가 우리나라에 아이폰이 처음 들어왔던 2009년 12월에 출 시한 '북앤딕 세계명작'과 '세계의 명화'는 출시하자마자 두 앱 모두 한국 앱스토어에서 1, 2위를 차지했다. 가능성을 엿본 계기가 된 것이 다. 유정원 대표는 이때 가장 컸던 수확으로 '자신감'을 꼽았다. 이것이 시장에 얼마나 금액적인 수치로 이어질 것인지 알 수 없었지만 이제 본격적으로 나서보자는 분위기였다. 12월에 북앤딕 시리즈를 출시하기 위해 이미 6개월 전부터 앱 제작에 전념한 결과였다. 경쟁력도 확인했다. 그때만 하더라도 국내시장 역시 일본과 미국처럼 유료 앱이 비교적 활발하게 이뤄질 것이라고 기대했던 터였다.

하지만 그는 이 과정에서 두 가지 소중한 경험을 한다. 수많은 사용자를 확보한 무료 앱이라도 확실한 비즈니스 모델을 갖춰야 한다는 점, 그리고 한국 유료 시장이 아직 기대에 미치지 못한다는 점이었다. 마침내 그는 세계 시장으로 눈을 돌렸다.

"2009년 아이폰 국내 출시가 불분명한 상황에서 일단 개발에 착수했던 북앤딕 시리즈는 이후 12월에 한국 앱스토어에서 1, 2위를 차지했지만 여러 가지 시사하는 바가 컸습니다. 한국 앱스토어에서 유료나 무료 콘텐츠로 매출을 올리기는 어렵다는 사실이었죠. 그래서 바로 해외 앱스토어를 겨냥했습니다. 국내는 무료 다운로드 수만 하더라도 구글플레이는 세계 1위, 앱스토어는 세계 3위를 기록하고 있습니다. 반면 유료시장은 세계 톱 10에는 들지 못합니다. 이후 우리는 전략을 재수정하기 시작했습니다."

2007년 미국에서 처음 등장했을 때 아이폰은 세계적인 CES나 WMC을 통해 세계를 뜨겁게 달궜다. 2008년 일본에 상륙했을 때만 하더라도 애플의 앱스토어는 새로운 시장의 신천지였다. 당시 국내 개발자들과 전문가들이 이를 엿보며 아이폰이 국내 유통되기까지 얼마나 마음을 애태웠는지는 굳이 설명하지 않아도 될 정도다. 한마디로 국내 앱시장은 백지상태였다. 먼저 선점하고 뛰어다닌 이가 임자였다. 하지만 국내 열악한 소프트웨어 시장은 그대로 앱스토어로 이어졌다. 앱 구매율이 채 5%에 미치지 않는 상황이 이어졌다. 물론 무료 다운로드 수가 월등히 높으면 광고수익은 기대할 수 있다. 벤처캐피털의 투자와 함께 시장을 넓히고 경쟁력을 더 강화할 수 있다. 문제는 그러기까지 개발사의 끈질긴 생명력도 중요했고, 자신들의 앱을 홍보・마케팅할 수 있는 전문적인 스킬도 문제였다. 갈수록 개발만 해놓고 '써보고 좋으면 알아서 내려받겠지'라는 생각은 금물이다. 이렇게 우여곡절 끝에 개발했던 i사진폴더로 해외시장으로 눈을 돌린 지 얼마 지나지 않아 일본에서 먼저 좋은 소식이 들려온 것이다.

분석, 또 분석

'일본 앱스토어 리와인드 2011 전체 1위'
'한국 앱스토어 리와인드 2011 전체 3위'
'한국 아이튠스 리와인드 2010 전체 3위'

출시 1년 반 만에 매출 100만 달러 신화를 달성한 i사진폴더 앱은 아이폰에서 촬영한 사진과 동영상을 폴더별로 저장해 관리할 수 있는 앱이다. 여기까지는 크게 특별하지 않다. 하지만 이 앱은 폴더별로 비밀번호를 설정할 수 있고, 마스터・고스트 비밀번호 등 3중 비밀번호로 폴더를 숨길 수 있다. 말 그대로 사생활 보호라는 밑줄 하나가 사용자의 구미를 당겼다. 당시 iOS에서 지원하지 않는 사진폴더와 동시에 보안 강화라는 아이디어 하나로 접근했던 것이다. 이 앱은 다양한 디자인 테마와 SNS로 사진과 동영상을 공유할 수 있으며, 무선

랜으로 이를 PC에 간단히 저장할 수 있다.

휴대폰 자체는 이제 지극히 개인적인 기기가 됐다. 빌려주거나 돌려보는 경우는 거의 없다. 때문에 i사진폴더만의 보안 기능은 사용자들에게 크게 어필할 수 있었다. i사진폴더는 '아이폰으로는 사진을 폴더별로 관리할 수 없어 불편하다'라는 문제의식에서 출발했다.

국내 인터넷 업계와 모바일 업계가 사진 관련 앱을 연달아 출시하면서 최근에야 이 시장이 뜨겁게 달아오르고 있다. 한마디로 사진 열풍을 그대로 반영하고 있는 것이다. 2012년 상반기에 출시된 KTH의 '푸딩.투'와 함께 카카오의 '카카오 스토리', NHN의 '네이버 카메라', SK컴즈의 '싸이메라', 젤리버드의 'HDR FX', '핀터레스트' 등이 이미 국내시장에서 다양한 카테고리를 확보하는 동시에 치열한 경쟁을 펼치고 있다. 페이스북이나 트위터 등 SNS가 사진을 기반으로 하는 소통이 증가하면서 영향을 받은 것으로 전문가들은 분석하고 있다.

라디오알람 앱도 간단한 아이디어에서 출발했다. 전 세계 3500여 개에 이르는 라디오방송(국) 중 한 곳을 정해 매일 일정한 시간마다 알람으로 이용하는 것이다. 방송청취 역시 가능하다.

i사진폴더는 30초마다 한 개씩 팔리고 있다. 이 앱은 2011년 유럽 CHIP Online www.chip.de 평가에서 만점을 받아 화제가 되기도 했다. 라디오알람 역시 우리나라와 일본 유료 다운로드 1위에 오르기도 했다. 그렇다면 우리나라 시장의 크기는 미국, 일본과 비교해 대략 어느 정도일까? 유 대표가 체감하고 있는 국내 앱스토어 시장은 과연 어느 정도이기에 해외시장을 공략할 수밖에 없었던 것일까?

"우리나라에서 월 1천만 원의 유료 수익이 난다고 합시다. 그러면 일본은 10배인 1억 원, 미국은 30배인 3억 원 정도의 매출 차이가 있습니다.

그러니 해외시장을 겨냥하지 않을 수가 있나요. 여기서 하나 잊지 말아야 할 것이 바로 순위의 급격한 변화 가능성입니다. 게임이 아닌 콘텐츠 앱은 어느 순간 1위를 했더라도 자칫 방심했다간 순위가 내려가기 십상입니다. 전 늘 세계 앱스토어를 수시로 모니터링합니다. 결론은 영원한 1위는 없다는 사실입니다."

유 대표는 1위를 하더라도 금방 묻히는 앱은 개발하기 싫었다. 시장 반응도 보지 않은 채 묻혀버린다면 그 시간이 얼마나 아까울지 반문하며 2009년 12월부터 일일, 매주, 매월 순으로 3~4개월 동안 전세계 앱스토어를 모니터링했다. 그 결과 유틸 분야에 집중하기로 결정해 i사진폴더와 라디오알람을 개발했던 것이다. 다시 말해서 오래 살아남을 수 있는 앱을 충분히 조사했고 그 가능성을 예의주시했던 것이다. 당시 그는 분석작업을 통해 각 분야별 매출 순위의 당락 등 다양한 데이터를 손에 넣을 수 있었다. 그가 전 세계 앱스토어를 분석한 자료를 살펴보니 게임과 유틸 등 두 분야가 유일하게 상위권을 유지하고 있다는 것을 알았다. 현재까지도 미국 앱스토어의 경우 상위 30위를 놓고 봤을 때 약 60~70%가 게임 분야일 정도로 앱스토어 상위권을 차지하고 있다.

그는 직접적인 분석을 통해 유틸리티 부분을 어떻게 해석하고 수익화해야 할지에 대해 고민하는 시간이 밤낮으로 이어졌다. 그 역시 게임 앱 제작에 대해 깊이 고려해봤지만 게임이라고 해도 역시 힘든 개발과정과 치열한 경쟁을 통과해야 하는 것이 당연지사는 아니라고 결론지었다. 또 상대적으로 구매의지가 확고하더라도 준비기간이 비교적 오래 걸리고 구성원들의 실력 또한 매우 뛰어나지 않은 이상 일정 수준의 게임을 만들기 어렵다. 그 분야 역시 독보적인 앵그리버드를 제외하고는 게임이라는 카테고리는 유지하되 그 속의 순위가 매번 요동치는 상황은 매한가지다.

한 가지 가능성을 더 살펴봤다. 교육학을 전공했던 그의 주종목을 살려 교육 관련 앱도 떠올렸다. 교육 분야는 시장이 특성화돼 있고, 사용자의 니즈가 매우 다양하다. 동시에 사용자층이 얇긴 해도 구매력은 월등히 높은 편이다. 하지만 이 또한 체계적인 타깃의 시장분석이 요구돼 추후 국내시장뿐 아닌, 해외(일본)시장을 함께 공략하기로 했다.

결국 그는 우선 유틸 분야로 회사의 전체적인 개발 방향을 잡고, 철저히 사용자를 위하면서 일회성이 아닌 반영구적 사용이 가능한 아이템을 고민했다. 이것이 바로 유 대표가 유틸리티 앱으로 해외시장 공략에 나섰던 과정이다. 그리고 그의 생각은 적중했다.

"게임과는 다르게 유틸리티는 수년 전에도 상위권을 유지하는 앱이 오래도록 그 순위를 유지하고 있는 특성을 찾아냈습니다. '슬립사이클 Sleep Cycle' 등은 전 세계 시장에서도 꾸준히 상위권에 랭크되고 있었습니다. 그래서 유틸리티 쪽으로 가닥을 세웠죠."

i사진폴더 앱에 이은 라디오알람은 애플이 전 세계 71개국 아이튠스 메인 화면을 통해 소개될 정도로 차세대 흥행 상품이다. 최근에는 안드로이드 버전 개발도 완료했다. 라디오알람 아이패드 버전인 라디오알람HD도 사용자가 하루가 다르게 빠르게 늘고 있다. 뉴아이패드 바람과 함께 신규 사용자들 사이에 기존 사용자들로부터 입소문을 탔고, 미국의 종합일간지 중 유일하게 전국지로 발간하는 USA 투데이에 라디오알람HD가 소개되면서 사용자가 급격히 늘었다. 그래서 이 앱

은 북미와 유럽권에서 특히 인기가 높다. 이어 기즈모도 _{Gizmodo.com}에 금주의 앱에 소개와 프랑스 최대 리뷰 사이트인 애플리케이션 아이폰 닷컴 평점에서 만점을 기록하면서 큰 호응을 얻었다.

i사진폴더 앱을 개발하는 데 걸린 시일은 총 2주였다. 한두 달 공들 였다가 매출로 이어지지 않는 등 리스크 손실을 최대한 줄이기 위해 프로토타입 측면으로서의 접근이 더 컸다. 가볍게 접근해 시장을 테스트하자는 생각이 우선이었다. 좋은 결과가 나오자 라디오알람은 더 심혈을 기울여 두 달 정도 충분히 숙성 후에 론칭하기에 이르렀다. 그의 철저히 두드려보고 가는 기질이 한몫했다.

우리가 만들고 싶은 앱은 만들지 않는다

한국 토종 앱이 해외시장에서 큰 호평과 함께 각광받는 사실은 반가 운 일이다. 나아가 국내 앱 개발사들에게도 훌륭한 동기부여가 된다. 그런 면에서 인사이트미디어가 처음부터 해외시장을 타깃으로 한 점, 이어서 유틸리티 분야 공략을 가시화한 점은 관련 개발사들에게 시사 하는 바가 크다. 철저한 시장분석과 사용자 니즈 등 집중과 선택을 명확하게 판단하고 바로 해외시장에 뛰어든 것은 결과적으로 주효했 다. 별다른 마케팅 없이도 해외에 진출, 성공할 수 있는 기반을 마련 한 것 역시 주목할 만하다.

인사이트미디어는 처음부터 거대한 자본이나 많은 인력을 동원해 앱을 개발했던 것이 아니다. 틈틈이 마케팅 업무를 병행하면서 소수 의 인원이 분석 데이터를 바탕으로 앱 개발에 매진했다. 앱이 성공하 자 대박나기 위해서는 게임 앱이 아니면 안 된다는 고정관념은 절로 깨졌다. 게임분야에 한정돼 있던 국내 앱을 유틸리티나 생산성 분야 카테고리에 당당히 이름을 올렸다. 전문가들은 이를 향해 앱 개발 경쟁력이 한층 다양화됐다고 평했다.

인사이트미디어가 지금까지 개발한 앱의 개수만 해도 40여 개가 넘는다. 그중 유틸리티 분야가 12개, 나머지는 콘텐츠 앱이다. 대부분 아이폰용 유료버전이며 회사매출은 꾸준히 상승곡선을 그리고 있다. 또 15개는 세계 각국 앱스토어에서 5위 안에 랭크돼 있다. 날로 치열한 앱 비즈니스 세계에서 인사이트미디어가 꾸준한 성장세를 탈 수 있었던 이유는 무엇일까?

무엇보다 인사이트미디어는 '개발자 위주의 앱 개발의 탈피'를 꼽을 수 있다. 사용자로서 불편한 것이 무엇인지에서부터 출발한다. 사실 이와 유사한 앱은 기존에도 있었다. 하지만 그 앱들을 제치고 i사진폴더 앱과 라디오알람이 인기가도를 달릴 수 있었던 비결이 궁금했다. 사용자들의 가려운 부분을 속 시원히 긁어줬기 때문이 아닐까? 기존의 앱보다 더 잘 만들어야 하는 과제를 안고 있었음에도 그보다 사용자의 니즈를 확실히 알고 접근했기에 가능했다는 이야기다. 그리고 아이폰 도입 전부터 이미 위젯개발 경험과 함께 앱 상품화를 면밀히 준비했다는 사실도 원동력으로 꼽았다. 보통 국내 앱 개발사 중 만 3년 이상 되는 회사가 손꼽을 수 있는 정도라고 볼 때, 인사이트미디어는 미리 출발점에 서서 장기적인 포석을 깔고 출발한 셈이다.

유정원 대표는 '만들고 싶은 앱'을 만들려고 하지 않았다고 한다. 철저히 사용자 위주 앱 개발에 전념한 것이다. 말 그대로 개발사 위주가 아닌 사용자 위주였던 셈이다. 뛰어난 퀄리티의 고사양의 기술보다 지극히 단순하고 직관적인 앱으로 승부했다. 그만큼 사용자들이 찾는 필수 앱으로 꼽고 있는 것이다. 이러한 부분은 훗날 새로운 스마트폰을 개통하거나 신규 사용자들에게 없어서는 안 될 필수 앱으로 자리매김하기에 충분하다.

이처럼 사용자 관점에서는 유 대표의 의지는 확고하다. 실제로 그는 사용자가 원하는 기능과 앱이 무엇인지 먼저 파악하는 데 시간을 투자하는 것은 결코 지나침이 없다고 강조한다. 오히려 개발하는 시간보다 사용자 측면을 고려하는 시간이 더 길 때가 많다. 개발역량이 부족하더라도 사용자 위주의 개발이라는 틀에서 크게 벗어난 적은 없다. 이러한 사고가 깊이 자리 잡을 경우 여기서 이어지는 꾸준한 업데이트도 중요하다고 그는 덧붙였다. 개발 후 사용자의 의견 하나하나에 아이디어를 얻고 이를 수시로 업데이트에 반영하면서 사용자와 꾸준히 커뮤니케이션하고 교감을 형성하는 것이야말로 롱런의 지름길인 셈이다.

지금도 전 세계에서 매일 날아오는 150~200여 통의 CS 이메일을 일일이 소화할 정도로 이 부분에 큰 비중을 둔다. 이것을 토대로 제품을 세세한 부분까지 개선한다. 지금까지 단행해왔던 업데이트 횟수는 i사진폴더 30차례, 라디오알람 40여 차례에 이른다. 이는 유 대표가 2년이 넘는 시간 동안 사용자와의 약속처럼 잘 지켜왔음을 자신하는 부분이기도 하다. 한번은 7~8가지를 동시에 서비스에 반영한 적도 있을 정도다. 그는 '사용자 위주의 개발에 이어 꾸준한 업데이트를 두 번째 성공비결이자 자사의 강점으로 꼽았다. 동시에 그는 연이은 새로운 시도를 통해 성장동력 찾기에도 여념이 없다. 유정원 대표는 특별한 마케팅을 하지 않았다고 했지만, 사실 자신도 모르게 마케팅한 결과를 끌어낸 것이다.

세계적인 마케팅 석학 필립 코틀러Philip Kotler는 "고객이나 사용자와의 꾸준한 대화 자체가 마케팅"이라고 정의했다. 매장으로 치자면 손

님과 대화를 적극적으로 시도하는 사례, 기업은 소비자의 의견에 꾸준히 귀 기울이는 사례, 앱의 경우는 사용자의 CS 메일에 즉시 피드백해주면 믿음을 주는 사례, 이 모든 것이 마케팅이었던 것이고, 자신도 모르는 사이 회사가 더욱 성장할 수 있는 든든한 밑받침이 되고 있는 것이다.

존 구드만 법칙이 있다. 고객이 평소 이용에 아무런 문제를 느끼지 못할 시 일반적으로 10%의 재방문율을 보이지만, 고객 불만사항에 진지하게 대응했을 경우 무려 65%가 재이용한다는 내용이다. 이 법칙은 앱 개발사들 역시 사용자에게 서비스 상품을 제공한다는 소명의식을 갖추는 것이 얼마나 중요하며, 그 과정에서 사용자의 사소한 의견 하나하나의 대응이 얼마나 큰 결과를 가져오는지 알려준다.

교사가 되지 않은 이유

앞서 언급한 대로 인사이트미디어가 앱 시장에 효과적으로 뛰어들 수 있었던 이유도 여러 가지가 있겠지만 무엇보다 앱 개발 열풍이 불기 전인 2009년 초 유 대표가 미국에서 직접 아이폰을 공수, 앱 개발에 착수한 영향이 컸다. 물론 선생님으로서의 꿈도 있었다.

"사실 제가 교육학과에 진학했던 가장 큰 이유는 솔직히 학력고사 성적에 맞췄던 것이었습니다. 물론 교사라는 직업도 좋지만 과연 교사라는 고귀한 직업을 나처럼 아무 직업 소명의식 없이 하게 된다면 나로서도 학생 입장에서도 과연 이래서 될 일인가 싶었습니다. 그러곤 깊은 생각에 빠졌죠. 그래서 교사를 하지 않기로 결론을 내렸습니다. 지금은 교직에 대한 안정 때문에 교사를 지향하지만, 당시(90년대 초)만 해도 '안정'보다 '직업의식'과 '열정'을 우선 담보로 해야 했던 시절이었죠. 스스로에게 질문했습니다. 내가 평생 아이들에게 부끄럽지 않은 인생을 살 수 있을까 하고요."

연세대 교육학과 91학번인 유 대표는 그런 부분에서는 확고한 신념을 지녔다. 직업을 갖기 이전에 직업에 대한 윤리를 우선으로 여긴다. 그가 지향하는 동료애는 가족 개념이다.

"저희 형이 같은 학교 ROTC 출신이었어요. 그래서 저도 집안 분위기에 따라 ROTC에 지원했죠. 저는 뭐든지 강압적인 분위기나 자세는 싫어하거든요. 그 성격이 군대에서도 이어졌지요. 비록 상관과 부하 관계였지만, 형 동생으로 지내면 그 이상의 뭔가도 함께 이룰 수 있고, 그렇다면 이보다 더 좋은 것은 없다고 생각했지요. 그때부터 아마 '형님 리더십'을 표방했던 것 같아요. 하지만 사회도 안 그런데 군대가 제 생각처럼 그리 되나요. 중대장한테 많이 깨졌어요. 소대장이 사병들과 어울려서 늘 술 마시고, 라면 끓여먹는다고 말이죠. 이후 제대하고 나서도 그 습관이 바뀌지가 않더라고요."

그는 대학 졸업 후 삼성SDS 멀티캠퍼스에 입사하면서 인터넷과 처음 인연을 맺었다. 그는 처음 접하는 분야라 무척 생소했다. 인터넷을 알아야만 기본적으로 교육생과 강사를 섭외하고 커리큘럼을 짤 수 있었다. e-Biz TF팀으로 첫 발령받은 그는 밤낮없이 인터넷의 기본 코딩부터 매뉴얼, 프로그래밍, 하물며 웹디자인과 포토샵 공부까지 마스터했다. 그가 이렇게 코딩부터 포토샵까지 다양한 분야의 학습에 깊이 빠져들 수 있었던 건 당시 그가 몸담고 있었던 교육본부에 홈페이지 담당이 따로 없었던 탓도 있다. 덕분에 웹마스터로서의 역할도 자의반 타의반 떠맡게 됐다. 휴일이 따로 없는 '월화수목금금금'의 시간이 기약 없이 반복됐다. 이틀에 한 번은 밤을 새는 여정의 연속이었다. 하지만 그 덕으로 많은 것을 빨리 배울 수 있어서 오히려 값진 시간이 되었다. 또 일 자체가 자신과 꼭 맞았다. 그는 길게 생각할 것도 없이 인터넷으로 평생 밥벌이를 해야겠다고 다짐한다.

유 대표는 본격적으로 인터넷 세상을 향해 몸을 던지기로 각오했고 실행했다. 삼성SDS 멀티캠퍼스 퇴직 후 그는 형용준 대표가 창업한 싸이월드로 이직한다. 싸이월드 서비스운영팀장으로서 싸이월드 서비스 개선에 대한 전반적인 부분을 담당하며 더욱 다양한 상품군과 매뉴얼 개선을 단행했다. 그는 이후 다음커뮤니케이션 콘텐츠비즈니스 팀장, NHN 콘텐츠 사업팀 과장, 블로그칵테일(올블로그) 부사장을 역임한다. 국내 유명 포털의 요직을 두루 거치는 동안 대부분 커뮤니티(카페, 블로그 등)를 담당한 것도 '사용자 관점'에서 사물을 바라보는 습관은 물론, 인사이트미디어의 서비스 밑단부터 기획해 하나의 사이클을 구현하는 데 큰 도움이 됐다. 특히 온라인마케팅과 모바일 사업 등을 성공적으로 추진하는 데 결정적인 경험이 됐다.

큰 재산이 돼 돌아온 위젯 마케팅 경험

유정원 대표가 인사이트미디어를 설립한 것은 2007년 7월 무렵이다. 올블로그를 운영하는 블로그 칵테일 부사장으로 재직하다 그해 3월 퇴직한 이후였다. 그때만 해도 따로 회사를 세울 생각은 전혀 없었다.

그는 새로운 일을 하기 위해 지금은 아블라컴퍼니 대표로 있는 당시 태터앤컴퍼니 노정석 대표와 국내 최대 PR 컨설팅 회사인 프레인 여준영 대표를 찾아 여러 가지 조언을 구했다.

그러던 중 마침 여준영 대표가 그에게 솔깃한 제안을 했다. 그가 유 대표에게 초기 자본금을 일부 투자할 테니 회사를 창업해보라는 권유였다. 여준영 대표는 유 대표의 대학 선배이자 함께 온라인 커뮤니티를 운영해본 전력도 있었고, 비교적 호흡도 잘 맞았던 사이였다. 처음에는 프레인 관계사 개념으로 프레인이 지분 30%를 확보한 상태로 출발했다. 이것이 인사이트미디어가 온라인마케팅 회사로 출발한 계기가 됐다. 그는 온라인 마케팅과 커뮤니티 운영, SNS, 블로그 운영을 혼자 도맡다시피 했다. 자신이 할 줄 아는 서비스를 제공하면서 기업으로부터 일정부분의 피fee를 받는 정도는 가능하다 싶어 가볍게 출발했다.

프레인에서 의뢰하는 온라인 PR과 마케팅을 주로 담당했지만 분명히 한계는 있었다. 서비스의 질적인 향상을 위해서는 디자인과 서비스 개발에서 한 단계 업그레이드를 해야 하는데 번번이 벽에 부딪쳤다. 이후 그는 수시로 마케팅 AE Account Executive를 채용하면서 업무영역을 넓혔다. 마침 당시 위젯이 이슈가 되던 터라 블로그의 위젯마케팅을 전략적으로 서비스하기도 했다. 결국 개발자와 디자이너도 채용했다. 당시 인사이트미디어의 주력상품은 그냥 '위젯'이 아닌 '위젯 마케팅'이었다.

이듬해인 2008년부터 다음의 '위젯뱅크'에 위젯을 제공하기 시작했다. 이미 서울시, 크리스찬디올, 나이키, 삼성투신운용 등 브랜드 위젯을 여러 차례 성공시킨 사례를 바탕으로 다음과 함께 위젯 시장 공략에 나선 것이다.

2009년에는 인사이트미디어가 구글코리아와 함께 개발한 가젯마법사wezet.co.kr/wizard도 화제였다. 당시 가젯(위젯) 마케팅이 비용대비 자발적인 확산을 통한 효과가 높은 반면 만들기 어렵다는 데 착안한 사례였다. 가젯마법사로 이러한 불편함은 일소에 해결되었다. 극심한 불황과 함께 대안으로 떠올랐던 위젯 마케팅에 역점을 뒀던 기업들은 덕분에 기획에서 개발까지 한 번에 모든 과정을 손쉽게 마스터할 수 있었다.

"가젯 마법사는 개발자가 제작에 필요한 복잡한 프로그래밍 대신 클릭 몇 번으로 간편하게 맞춤 제작을 할 수 있다는 특징이 컸습니다. 이처럼 손쉽게 만든 위젯은 구글의 첫 화면인 아이구글에서 선택해 자신의 첫 화면에 끌어다 놓고 쓸 수 있었죠."

인사이트미디어는 이후 구글과 함께 꾸준한 업데이트로 기능을 보강했다. 위젯을 제작하다 보니 SKT와 삼성전자에서 모바일 위젯에 대한 문의가 들어오기 시작했다. 그는 '별거겠어? 한번 만들어보자'라는 생각으로 모바일 위젯을 추가로 개발했다. 당시 그가 SKT 티스토어에 제공한 모바일 위젯만 약 60여 개 정도였다. 그것을 바탕으로 자연스레 모바일 앱으로 건너올 수 있었다. 이는 앱 개발에서 관련 개발 스킬과 노하우를 자연스레 익힐 수 있던 계기가 됐다.

해가 갈수록 마케팅과 모바일 사업별 매출 차이가 극과 극으로 명확하게 나타났다. 2010년만 해도 총 매출 13억 원 중 모바일 사업 매출은 3억 원에 불과했다. 그러던 것이 2011년에는 10억 원대로 껑충 뛰어올랐다.

2012년에는 일찍부터 모바일 사업이 총 매출의 70%를 차지하는 만큼 '집중과 선택'에 따라 부서 개편을 할 예정이다. 2012년 현재 인력구성은 직원 6명이 SNS/블로그 마케팅 업무에, 21명은 모바일 자체 앱 개발과 디자인 업무를 담당하고 있다. 유정원 대표는 마케팅 사업을 완전히 정리하고 모바일 사업으로 전원 100%를 구성할 계획이다. 단순히 앱 시장에만 국한하지 않고, 모바일 산업 전체를 보고 이에 주력하려는 것이다. 유 대표는 앞으로 최대한 초기 자본 투입을 더욱 자제하고 기존 서비스 강화차원에 비중을 높일 생각이다. 라디오알람 서비스 강화와 스마트폰 탑재, i사진폴더 등 유틸리티 앱에 더욱 다이내믹하고 유연한 전략을 전천후로 펼칠 각오다.

"마케팅 사업은 매달 새로운 세일즈를 해야 하고, 또 당장 매출이 발생한다 해도 내일은 감을 잡을 수 없는 시장입니다. 저는 스마트폰 시장이야말로 하나의 앱 비즈니스 베이스만 잘 형성하면 매출은 꾸준히 상승곡선을 탈 수 있다고 봅니다. 물론 이것들은 우리 스스로 고민해서 계속 발전시켜야 할 문제입니다. 저는 모바일 사업에 대해 상대적으로 만족도가 높다고 보고 있어요. 이것도 시대의 흐름이기 때문에 변화에 적극 대처할 수 있어야 한다고 생각합니다."

그는 인사이트미디어를 통해 사업을 확장하는 동안 틈틈이 스스로 되돌아보는 시간을 가졌다. 때로는 외롭고 막막하긴 해도 뛰는 만큼 결과가 있다는 것을 몸소 체험했다. 그는 다시 태어나더라도 역시 사업을 하겠다는 생각에는 변함이 없다. 고생한 만큼 보람은 그 몇 배의 열매가 되어 돌아온다는 것을 알았기 때문이다.

조금 떨어져서 바라보기

유정원 대표는 당장의 스펙보다는 업무적인 센스를 중요시한다. 더불어 능동적인 면을 중시한다. 누구든지 시켜서 하는 일은 그만큼 밖에 하지 못하기 때문이다. 그 부분에서만큼은 완고할 정도다.

유 대표는 누구나 가능성을 품고 하고 싶은 일에 도전하고자 할 때 회사의 시스템이 걸림돌이 돼서는 안 된다는 생각을 가지고 있다. 또 직원 한 명 한 명이 회사의 '사용품'이 돼서는 안 된다는 것이다. 각자 생각하는 기준과 꿈과 열정은 다르다. 그것을 회사의 틀 안에서 이룰 때 개인의 성공은 회사의 성공이 된다. 때문에 그는 직원들의 꿈을 회사에서 이룰 수 있는 시스템으로 정착하는 것이야말로 자신이 해야 할 그 어떤 것보다 중요하게 여긴다. 그것이 습관이 된 능동적인 직원은 누가 일일이 일을 일일이 지시하거나 맡기지 않아도 스스로 '+a' 이상을 추구한다. 이들이 이룬 결과에 대한 보상은 필수다.

유 대표는 사원부터 임원에 이르기까지 모두 주관적으로 판단하고 리드할 수 있다고 믿는다. 만약 재정적으로 도움을 줄 수 없을 때는 믿음마저도 아무 조건 없이 줄 수 있는 회사, 바로 유 대표가 올곧게 추구하는 기업철학이다. 업무 자체도 크리에이티브해야 함은 물론이고, 틀어박힌 사고로는 그 이상을 추구할 수 없다. 직원 스스로 재미있는 일을 찾아서 일할 수 있는 기회를 제공하는 것이 중요하다.

이처럼 회사가 개인의 꿈보다 무조건 우선시되는 것도 지양한다. 또 회사의 주인이 무조건 대표이사로만 보이는, 마치 소유물처럼 느껴지는 1인 집중 체제를 경계한다. 하나부터 열까지 직원 개개인의 비전과 회사의 목표가 일치해 함께 성장하고자 하는 것이다. 그가 포털에 근무할 당시에도 이 부분을 위해 팀원 모두와 자주 면담하면서

i사진폴더와 라디오알람으로 또 다른 신화를 써내려가고 있는 인사이트미디어 임직원들. 맨 앞줄 왼쪽에서 두 번째가 모바일사업을 총괄하고 있는 김동환 본부장.

목표와 비전을 제시했던 경험이 있다. 팀장인 자신은 그저 코디네이터의 역할일 뿐이라고 스스로 마음을 굳혔다. 팀원들의 꿈을 이루는 데 가급적 최대한 배려할 수 있도록 했다.

그는 인사이트미디어 설립 초창기에 직원 모두와 허물없이 지내는 데 시간을 쏟았다. 직원과 술자리도 자주하면서 유 대표나 직원이나 모두 소소한 개인적인 일까지 서로 챙기게 됐다. 직원 누구의 이성 친구는 누구인지, 만난 지 얼마나 됐는지도 알 수 있을 정도였다. 이렇게 직원 개인마다 관심 갖고 챙기고자 했던 그는 그만큼 모두에게 깊은 애정을 느끼던 찰나였다. 하지만 자신이 먼저 가족처럼 대하고 애정을 쏟았던 직원이 여지없이 회사를 떠나는 것을 본 그는 자신에 대해 깊은 생각을 하게 됐다.

그가 바라는 것은 회사는 이윤을 추구하는 공간이라는 것, 그 과정에서 공과 사는 철저히 구분해야 한다는 것뿐이었다. 사적인 감정이

공적인 부분보다 우선돼서는 안 된다는 것이다.

"사실 제가 직원 한 명 한 명에게 모두 마음을 줬던 면이 컸어요. 모두에게 공들였던 만큼 모두 저를 그렇게 생각해줄 것으로 알았거든요. 자랑은 아니지만 직원 결혼할 때도 신혼여행비도 지원할 정도로 하나하나 신경을 썼어요. 그런데 일하면서 얼마든지 이견이 있을 수 있다고 생각하는데, 그것이 퇴직으로 이어지더라고요. 저와 회사를 동일시해서일까요? 그 후에 많은 생각을 하게 됐습니다. 무조건 가깝게 지내는 것만이 능사가 아니라는 것을요. 어느 정도 간격을 유지하는 것도 필요했습니다. 그리고 기업으로서의 목표를 추구하면서 직원 모두를 리드할 수 있는 환경을 조성하는 것이 더 중요하다는 것도 알았죠. 좋은 경영수업을 받은 셈이죠."

똑똑하고 유능한 인재가 회사를 나간다는 사실은 그 자체만으로 큰 손실이다. 그 인재들에게 쏟은 유·무형 자원만큼 감정의 소모는 크기 마련이다. 이후 그는 경영과 관리에서 적정한 선까지만 다가갔다. 직원 개개인에 대한 관심은 갖되 멀리서 뒷바라지하는 정도다. 오히려 이들의 성공을 위해 물심양면 도와주는 것이 더 적절하다는 생각이다. 이후 그들에게 비전과 목표를 최대한 부여하고 이룰 수 있도록 다양한 지원을 하는 것으로 생각을 굳혔다. 그들 스스로 업무의 주도권을 갖고 주인의식을 갖출 수 있는 기회를 위해 최대한 사리를 보장할 계획이다.

그의 이메일 아이디는 'long'이다. 흔히 명함에서 보이는 CEO가 아니다. 역시 자칫 자신과 회사를 외부에서나마 일원화하지 않을까 하는 작은 배려차원도 있고, 대표이사 역시 회사의 한 일원일 뿐이라는 생각에서다. 그는 대표이사 역시 회사비전을 따라잡지 못하면 다른 길을 찾아야 한다며 큰 회사나 작은 회사나 규모만 다를 뿐, 회사로서 면모를 갖추기 위해서는 주주나 대표가 수시로 바뀌듯이 자리에 연연하지 말고 항상 긴장해야 한다고 강조한다.

수많은 아이디 중 아이디를 'long'으로 쓰는 이유가 흥미롭다. 지금의 회사를 창업했을 당시 블로그 마케팅 업무와 관련해서 파워블로거 문성실 씨를 만날 일이 있었다. 그때 유 대표는 그에게 한 가지 아이디어를 제안했고, 어느 정도 시간이 지나 문 씨에게서 연락이 왔다. 그가 그간 유 대표의 뒷조사를 했다며 한마디했다.

"유 대표님은 회사마다 짧게 다니셨는데요. 지금은 회사를 새로 세워서 제게 좋은 제안을 주셨지만, 솔직히 제가 얼마나 신뢰해야 하는지 모르겠어요. 이 회사가 얼마나 오래 살아남을 수 있을지도 모르겠고요."

이 말을 듣는 순간 그는 망치로 한 대 얻어맞은 기분이었다. 이것이 그가 회사의 가치를 심고 오래도록 회사를 키우고자 주위를 환기시킨 계기도 됐다. 이후 이메일주소를 'long'으로 정하고 앞만 내다보기로 했다. 그는 늘 누군가에게 이메일을 보낼 때마다 혹은 명함을 주고받을 때마다 자신을 프로답게 다시 가다듬는다.

무료버전 수익? 길은 있다

개인개발자의 앱스토어 진입장벽이 점차 높아지고 있다. 국내뿐 아니라 해외에서도 이 같은 조짐이 이어지고 있다. 개인 개발자 앱의 상위

166

권 노출 빈도가 눈에 띄게 줄었다. 게임 분야 역시 날로 규모의 싸움이 되고 있다. 어제 랭크된 순위가 오늘은 보이지 않는다. 국내에서는 그나마 컴투스, 게임빌 등 규모와 실력이 검증된 곳에서는 약 10개 정도 신규 앱을 출시하면 한두 개 정도가 랭킹에 진입하는 정도다. 매출도 특정 게임에 편중돼 있다. 한마디로 규모의 싸움이 되고 있다.

개인이나 조그마한 스튜디오에서 개발한 앱이 어지간해서는 순위권에 진입하기 어려운 상황에서, 막상 시장에 진입한다고 해도 한국 앱스토어에서는 당장 수익화하기가 쉽지 않다. 글로벌화해도 참신한 아이디어와 후 액션이 필요하다. 사용자와의 꾸준한 커뮤니케이션은 덤이다. 먼저 1~5인 규모의 스타트업은 획기적인 아이디어를 바탕으로 앱을 개발하는 것이 우선이라고 전문가들은 말한다. 하지만 당장 외부 클라이언트로부터 개발을 의뢰받거나 운영 계약을 맺기란 현실적으로 어려운 부분도 작용한다.

또한 대부분의 스타트업의 경우 비교적 포트폴리오가 약하고 기업의 지속 가능성에 대한 신뢰가 낮아 파트너십을 맺기 어렵다. 가장 중요한 것은 '생존'이다. 그러기 위해서는 앱을 초반에 개발하고 나서 6개월 이상을 어떻게 해서든 버텨내야 한다. 다만 '생존을 위한 생존'이 아닌 '꿈을 위한 생존'이 돼야 한다.

"어떻게 해서든 1년 이상은 버텨내야 합니다. 다만 살기 위해 원하지 않는 SI 업무를 병행하다 보면 생존을 위한 생존싸움이 되고 말아요. 그러다 보면 그 일의 비중이 커지게 되고, 사람은 더 필요하고, 악순환이 되기 십상이죠. 그렇다고 당장 큰돈을 버는 것도 아닙니다. 일단 처음 출시한 앱의 향방을 면밀히 알아보고 분석하는 데 힘을 쏟을 필요가 있어요."

앱스토어 순위 중 판매가격이 1달러 이상인 앱은 몇 개 되지 않을 정도로 앱 단가가 많이 하락했다. 최근 앱스토어는 가격에 대해 체감온도가 높은 편이다. 전체적인 앱 가격이 하락하는 추세이지만, 반대로 신생기업에겐 더 없이 좋은 기회이기도 하다. 대기업이 진출해 유의미한 성과를 내기에는 가격이 너무 낮다. 대기업이 하청을 주는 SI업무 단가는 매년 하락하고 있다. 영세한 기업은 일 만큼 큰 수익을 내기 어렵고, 결국 안철수 교수가 말한 것처럼 특정 대기업의 동물원에 갇히기 쉬운 신세가 되기 십상이다.

사실 2~3년 전만 해도 기업에서 대기업에서 앱 개발을 의뢰할 때만해도 개당 총 단가는 5천~6천만 원에 달하던 것이 최근에는 2천~3천개 내외로 많이 줄었다. 회사를 운영할 때 기본적인 매출은 유지해야하는데 개발에 필요한 시간과 인력을 비례했을 때 이 수치로는 감내하기 어려운 상황이다. 당장 돈이 필요해 쉽게 접근할 수 있는 공공기관이나 기업 앱을 개발하다 보면 수익은 크게 나지 않는다. 반면 회사자원은 대부분 그쪽에 투입되면서 자칫 악순환으로 이어질 우려가 있다. 유 대표도 이점에 대해 경계했다.

"싸이월드도 초기에는 SI사업부가 따로 있을 정도였어요. 그것이 오히려 현실이었다는 것이 더 정확하겠죠. 다음도 마찬가지였고요. 스타트업이 어지간해서는 벤처캐피털로부터 투자받는 것도 쉽지 않습니다. 투자를 받기 위해서는 꾸준히 사업을 유지해야 하고, 기회를 잡는 노력을 기울여야 합니다. 그리고 어떠한 결과가 나오든지 그 이후의 상황에 대해서도 대비책을 세워놓는 것이 중요합니다. 하지만 무료 앱을 만들더라도 수익화할 수 있는 구조는 분명 있습니다. 바로 모바일광고 활성화 때문이죠. 모바일광고 플랫폼인 '카울리Cauly'를 통해 앱 개발사인 보보브VOVOV는 월 2천~3천만 원 가량의 수익을 내고 있습니다. 모바일광고가 주목받는 이유는 앱 생태계가 형성되고 유지되는 핵심 수익모델이라는 점에서입니다. 2011년 초 아이폰 사용설명 앱을 출시해 3일 만에 인기순위 1위에 오른 보보브의 경우입니다. 무료 앱이라도 사용자 트래픽이 많이 나오고 광고를 최적화하면 개발사가 다소 수익을 올릴 수 있습니다. 다음의 아담AD@m 역시 400여 개의 앱과 계약을 맺었고, LG유플러스의 유플러스애드는 게임빌의 '좀비낚시광' 등 400여 개 앱 안에 광고를 넣었죠."

가령 막 스타트업을 시작한 A라는 사람이 있다고 하자. 주말근무는 물론 하루 밥 먹고 자는 시간을 제외하고는 앱 개발에 몰두, 야심작을 내놓았고 다운로드당 0.99달러에 론칭했다. 그러나 결과는 참혹했다. 이후 A는 모바일광고 업체와 제휴해 광고를 붙였고 서서히 수익이 늘기 시작했다. 이어 A는 또 다른 앱도 출시해 연달아 히트하는 결과를 맞았다. 이처럼 모바일 광고가 일부 성공사례가 있긴 하지만 아직 저변이 넓지 않아 개발사들 사이에서는 반신반의하는 상태다. 하지만 유 대표는 신생 개발사의 경우 이러한 부분도 적극 고려할 필요가 있다고 조언한다. 한두 개의 앱에 집중하는 것보다 여러 OS에 맞춘 다양한 앱을 개발해 복수의 수익창구를 만들 필요가 있다. 해외시장도 함께 공략한다는 마음으로 개발에 착수하면 도움이 될 것이다.

그는 향후 앱 시장에 대해 낙관론을 펼쳤다. 특히 우리나라의 경우 앱 시장은 매년 30~40%씩 성장하고 있다며 3년 뒤 세계시장은 60조 원을 넘어 150조 원까지 커질 것으로 내다봤다. 모바일 시장은 지금부터 앞으로 최소 3~5년 동안은 가파르게 성장할 것으로 전망된다. 시장이 커지면 당연히 모바일 광고 시장과 앱 개발 시장도 커지겠지만 이에 대해서도 색다른 해석을 내놨다. 시대에 편승한 새로운 카테고리가 생길지도 모른다는 것이다. 그것이 모바일 데이팅이 될지, LBS가 될지, 커머스나 이러닝이 될지 아무도 장담할 수 없다는 것이다. 그중 한 가지 분야만 선점해 위너가 되면 분명 큰 파이를 차지할 수 있다는 견해를 내놓았다.

"제가 자꾸 세계시장을 언급하는 이유가 있어요. 일본의 경우 상대적으로 우리나라보다는 스마트폰 사용자가 적어요. 헌데 우리나라 사용자보다 유료 구매 확률은 더 높다는 사실입니다. 앞으로 최소 6천~7천만 명 가량이 전천후로 스마트폰 사용자가 될 것으로 전문가들은 보고 있습니다. 그야말로 황금시장인 셈이죠. 이러한 상황을 미리미리 알아채는 기업들은 이를 타깃으로 삼아 앱을 개발하면서 관련 이슈나 새로운 소스, 콘텐츠 등 첨부를 통해 기능적으로 강화하고 있어요. 저도 마찬가지고요."

급격한 성장기에 있는 앱 시장은 새로운 사용자가 주도하는 시장이다. 한번 결제한 앱은 그 계정으로 로그인하면 삭제 후에도 재차 내려받을 수 있다. 내려받을 만한 사용자가 모두 내려받고 나면 앵그리버드 같은 앱은 이미 급락해야 한다. 그런데도 오랜 시간 1위를 고수하고 있다. 유 대표가 말한 대로 새로운 사용자가 늘기 때문이다. 이는 아이폰, 아이패드와 같은 스마트 단말기가 아직 급성장하고 있는 가운데 새로운 사용자가 늘어나기 때문이다. 사용자들의 니즈를 충족시키는 앱일수록 대중화할 가능성이 높은 편인 것이다.

2012년은 유정원 대표에게 제2의 도약의 해이다. 유 대표는 아직 갈 길이 멀다고 한다. 중장기적으로 개별 앱을 아우르는 하나의 자체적인 앱 플랫폼이나 모바일 서비스도 계획 중이다. 또 앱 프로그래밍 인터페이스API와 소프트웨어 개발 키트SDK를 오픈할 생각도 있다. 인사이트미디어는 마케팅에 대한 노하우나 스킬도 함께 겸비하고 있기 때문에 더욱 시너지를 낼 것이다. 이를 든든히 뒷받침하는 두 가지 좋은 일이 있었다. 하나는 벤처캐피털의 투자, 또 하나는 삼성전자 갤럭시S3 등 스마트폰의 라디오알람 탑재다.

인사이트미디어는 2012년 3월 벤처캐피털인 'KTB 네트워크'와 '알바트로스 인베스트먼트'로부터 각각 10억 원씩의 우선투자 방식으로 총 20억 원 규모의 투자를 유치했다. 유 대표는 이를 통해 OS 및 기기 확장을 통한 채널 확대는 물론 비게임 앱으로 세계 비즈니스 시장을 공략하는 데 큰 힘이 될 것으로 기대하고 있다. 두 투자사 모두 인사이트미디어의 세계시장을 향한 경쟁력을 높이 평가한 것으로 나타났다. 알바트로스 김태성 이사는 보도자료를 통해 "인사이트미디어가 가진 수준 높은 콘텐츠 개발력에 힘을 불어넣을 수 있을 것 같다. 그동안 i사진폴더와 라디오알람 등 글로벌 유틸리티 앱의 성과를 기반으로 세계 시장에서 더욱 주목받기를 바란다"라고 밝힌 바 있다. 고병철 KTB 네트워크 이사는 역시 "글로벌 시장에서의 노하우와 그에 따른 경쟁력에서 인사이트미디어에 높은 신뢰를 가졌다. 이번 투자를 주축으로 향후 인사이트미디어가 크게 성장할 것으로 본다"라며 기대를 감추지 않았다.

유정원 대표는 이번 투자유치를 기회로 글로벌 경쟁력 강화를 위한 토대로 삼을 계획이다. 마침 2012년 안에 일본 등 해외지사를 우선적으로 설립할 계획을 갖고 있는데, 서비스 요소를 강화한 글로벌 유틸리티 앱을 잇따라 출시해 성과를 가시화할 예정이다. 그리고 3년 내전 세계 사용자 1억 명 유치를 확보하겠다는 청사진도 밝혔다.

삼성전자 갤럭시S3, 카일, 아이보리 등 3개 스마트폰의 라디오알람 탑재 건도 고무적이다. LG U+ 070 인터넷전화도 탑재됐다. 유 대표는 이에 빗대 "키위플의 오브제가 롤모델"이라고 밝혔다. 유 대표는 이번 스마트폰 탑재로 앱스토어는 물론 구글플레이에서도 많은 사용자를 확보할 수 있을 것으로 기대하고 있다. 당장은 1천만 사용자 확보가 목표다. 글로벌한 성격이 특징인 인사이트미디어의 앱은 글로벌하다. 갤럭시S3에 기본탑재된다면 세계시장 공략은 한결 더 강화될 것이고, 이에 따른 서비스 수준과 수익모델도 더욱 다양화될 수 있다.

삼성전자 측에서는 세계 시장을 공략하는 데 라디오알람 같은 글로벌 앱 장착이 필요했다. 인사이트미디어도 사용자 확보와 서비스 향상을 위해서 한 차원 다른 시도를 준비 중이었다. 삼성전자와의 이해가 맞아떨어져 MOUMemorandom of Understanding(양해각서)를 체결했다. 인사이트미디어는 그동안 앱스토어에 비해 안드로이드 시장에 관해서는 마켓의 특수성 때문에 적극적인 대응을 하지 않고 있던 상황이었다.

앱 개발사들에게 안드로이드 시장은 앱스토어와 달리 상당한 부담의 대상이 된다. 단말기마다 다른 해상도와 하드웨어 사양 등 제품별로 테스트에 집중해야 하는 과외비용이 많이 투입된다. 그럴수록 기간은 가늠조차 쉽지 않다. 상대적으로 애플 iOS의 경우 소수의 아이폰과 아이패드 제품에만 맞춰 개발하면 되기에 이러한 복잡한 과정은 덜 겪는다. 때문에 구글플레이에서 유료앱을 만들어 수익을 올리기는 하늘의 별 따기인 셈이다. 이 때문에 그동안 인사이트미디어가 개발한 40여 개의 앱도 모두 iOS용이었다. 하지만 스마트폰 제조사의 성장과 함께 벤처기업의 시장진출 기회와 소비자 선택권이 넓어졌다는 사실은 긍정적인 면이다.

그동안 앱스토어에 전념했던 인사이트미디어에 안드로이드 시장을 공략할 기회가 왔다. 유 대표는 이를 계기로 마켓별로 전략을 다르게 가져갈 시기로 판단했다. 그는 마켓에 따른 탄력적인 전략을 구사해 성공한 앵그리버드를 예로 들었다.

"앵그리버드는 이 앱 하나로 앱스토어에서 0.99달러로 연간 200~300억 원의 매출을 내고 있습니다. 반면 구글플레이에서는 무료로 출시한 대신 약 110억 원 정도의 광고수익을 기록하고 있는 상황입니다. 매출은 앱스토어에 비해 다소 적지만 시장의 확장 가능성은 충분하다고 봅니다. 앱스토어는 유료, 구글플레이는 무료화 전략을 구사할 겁니다."

유 대표는 이번 스마트폰 탑재를 통해 국가별 인기채널 실시간 제공과 인공지능채널 기능, 채널 추천 광고 등 서비스 확장과 소셜 서비스, 다양한 모바일 광고 확보 등 기능 확장을 통한 수익 다변화를 꾀할 계획이다. 라디오알람의 유통채널 다각화에 대해서도 더욱 드라이브를 걸 생각이다. 2012년 하반기 스마트TV용과 윈도폰용 출시와 함께 냉장고(2013년 스마트 가전용), 집전화(LG U+ 070 인터넷 전화 탑재), 노트북(매킨토시용 앱 출시), 자동차(하반기 스마트 자동차용) 등 사용자가 언제 어디서든 라디오알람을 편리하게 이용할 수 있도록 사업영역을 넓히고 있다. 더불어 사용자가 늘수록 이를 무리 없이 감내할 수 있는 서버 등 시스템 확충도 개선할 방침이다.

인사이트미디어는 이제부터가 모멘텀 효과Momentum effect를 누릴 적기인 셈이다. 디자이너, 개발자, 기획자 할 것 없이 전 직원에게 충분한 동기부여도 요구되는 때다. 이들의 열정과 창의력이 무엇보다 중요한 시기다. 이들의 내제된 능력을 최대한 끌어내는 것도 유 대표의 몫이다.

유 대표는 능력만 있다면 나이나 지위고하를 막론하고 중용하는 편이다. 위계질서나 학벌, 나이, 경력에 대한 서열은 사실상 큰 의미를 두지 않았다. 처음 아르바이트로 입사해 능력을 인정받아 석 달 만에 정직원이 되고, 또 수개월 만에 팀장이 된 개발자가 있는 곳이 바로 인사이트미디어다. i사진폴더나 라디오알람, 북앤딕 시리즈 등 성공한 앱을 개발한 어느 직원은 입사 1년 만에 연봉이 두 배로 껑충 뛰기도 했다.

대표적인 인물은 김동환 모바일본부장이다. 보통 매체를 통해 앱을 소개하고 인터뷰할 때도 대부분 김 본부장이 나선다. 사석이든 공석이든 투자유치 관련해서도 유 대표는 그와 함께 하며 의견을 나눴다. 유 대표는 그에 대해 '스스로 모든 걸 알아서 하는 사람'이라며 더도 말고 김 본부장 같은 사람이 한 명이라도 더 있었으면 하는 바람이라고 속내를 비쳤다.

"사실 모바일 사업의 모든 것은 김 본부장의 성과예요. 제가 이 비즈니스에 기여한 것은 단 10%도 되지 않아요. 그동안 확신 없는 모바일 사업을 하면서도 매일 '접어? 말아?' 하고 수십 번씩 고민할 때에도 그 친구 때문에 버틸 수 있었어요."

유 대표는 2012년 안으로 일본 도쿄 지사 설립을 계획 중이다. 이때

김동환 본부장을 비롯하여 적합한 직원에게 먼저 기회를 제공할 생각
이다.

나이키의 경쟁상대가 리복이 아닌 것처럼

인사이트미디어는 2011년 매출 21억 원을 기록했다. 2012년은 모바일
사업에서만 40억 원, 총 70억 원을 기대하고 있다. 2013년에는 100억
원 대가 목표다. 이제 투자유치도 성공했고, 시장 인사이트가 커짐에
따라 회사규모도 부쩍 커질 것으로 보인다. 물론 하루하루 새로운 과
제와 변수는 늘 도사리고 있다. 앞날에 대한 부담과 설렘도 공존한다.
이를 효율적으로 절충해 성공하기 위해서는 유 대표는 능동적인 인재
가 더욱 필요하다고 강조한다.

일단 투자금액을 효과적으로 유용하는 부분이 우선이다. 회사 차원
에서 반드시 해야 할 일과 해서는 안 될 일을 구분하는 것도 필요하다.
동시에 모두 잘 하려는 욕심도 금물이다. 2012년 한해를 유 대표는
사용자와 투자자 모두 만족할 수 있는 해로 가꿀 생각이다.

“우린 처음부터 위젯마케팅 경험으로 앱 개발이 무엇인지 알았고, 블
로그 마케팅을 하며 사용자와의 커뮤니케이션이 얼마나 중요한지도
깨달았습니다. 우린 따라가지 않습니다. 다만 리드하고 싶을 뿐이죠.”

인사이트미디어의 경쟁상대는 제품마다 어디에 중점을 뒀느냐에
따라 다르지만 SNS 분야로 개발한다면 ‘핀터레스트’라고 말했다. 사
용자층의 특성을 타깃화하여 행동패턴의 주도권을 리드할 수 있는 기

업을 경쟁상대로 꼽은 것이다. 나이키의 경쟁상대가 리복이 아니라 아이들의 운동할 시간을 빼앗는 닌텐도였던 것처럼, 구글의 경쟁상대가 더 진화한 검색 알고리즘을 제공하는 빙이나 야후가 아닌 사용자들의 행동패턴을 빠르게 집적해나가는 비틀리와 페이스북이었던 것처럼 말이다(박준호, 『인사이트 플래닝』, 다산북스, 2011). 성향은 많이 다르지만 글로벌한 위치에서 시장을 개척하고 성장하는 모습을 배우고 싶다는 점에서 게임빌이나 컴투스 같은 게임 개발사를 꼽기도 했다.

유 대표는 조만간 교육과 관련한 이북e-Book 시장을 공략할 계획도 갖고 있다. 일종의 선전포고인 셈이다. 교육 카테고리는 그 안에서도 많은 콘텐츠와 함께 다양한 분야가 있다. 타깃층은 넓지 않아도 필요에 따라 즉시 구매할 확률이 비교적 높은 편이다. 그는 모바일 특성상 가장 적합한 시장 중 하나라고 보고 있다. 그는 자잘한 기능을 섞기보다 꾸준히 사용할 수 있는 환경을 제공하는 데 중점을 둘 생각이다. 이와 관련해 그가 예의주시하고 있는 시장이 바로 일본시장이다.

기술적으로나 시장 인지도 면이나 가능성은 충분하다. 이미 i사진폴더와 라디오알람으로 어느 정도 인지도를 높였고, 시장성은 국가별로 몸소 경험했고 파악했다. 또 한류 열풍이 있으니 제대로 된 앱북만 있다면 충분히 일본 앱스토어에서 어필할 수 있을 것으로 보고 있다. 이미 일본시장은 우리나라보다 시장이 10배 이상 차이난다. 이북 콘텐츠 시장에 진출한 업체 중 유 대표는 포도트리, 워터베어소프트, 코코네를 직접 꼽으며 좋은 경쟁상대가 될 것이라고 말했다.

교육용 앱 개발 전문업체인 포도트리는 전 NHN 공동창업자인 김범수 이사회 의장을 필두로 2011년 말 삼성벤처투자로부터 30억 원 투자유치를 받아 사업에 탄력을 받았다. 어학서비스 전문인 코코네의

경우도 전 NHN 공동창업자이자 한게임재팬을 세웠던 천양현 회장이
영어/일본어 학습서비스 앱에 애니메이션, 네이티브 스피커와의 커뮤
니티 등 놀이를 접목해 화제를 모은 바 있다. 위터베어소프트 역시
교육 애플리케이션 전문업체로서 2012년 초반 '요럴 땐 영어로 1, 2탄'
이 일본 앱스토어에서 1위를 차지한 바 있다. 유 대표는 누구보다도
일본 앱스토어가 세계시장 진출을 위해 반드시 거쳐야 하는 곳임을
잘 알고 있다. 일본 교육시장 진출을 계기로 중국, 미국 등 여러 국가
에서 한국 앱 개발능력과 인사이트를 다시 한 번 보여주겠다는 각오
를 다지고 있다.

   또한 그는 라디오알람의 SNS 기능 장착으로 체류시간을 확보하고
동시에 전략적 투자를 계획하고 있다. 목적성이 분명한 만큼 사용자
의 전파력과 함께 즐거운 경험을 제공할 방침이다. 음악을 중심으로
한 새로운 SNS 시대를 꿈꾸고 있다.

"해보지 않으면 아무도 모른다"

유정원 대표가 자주 하는 말 중에 하나가 바로 해보지 않으면 아무도
모른다는 것이다. 실행능력이 가장 뛰어난 기업가 중 하나로 평가받
았던 현대그룹 창업자 고 정주영 회장도 툭 하면 "임자가 해봤어?"라
는 말을 내뱉었다고 한다. 이 말처럼 승자는 항상 먼저 시도해보고
나서 최종결론을 내린다. 비즈니스 세계는 냉정하다. 승자와 패자의
차이는 바로 '생각' 자체에서 멈추느냐, 실행하느냐의 차이다.

   승자는 기회를 잡기 위해 자기계발과 분석을 끊임없이 이어간다.
미국의 자동차의 왕으로 부르는 포드자동차의 창업자 헨리 포드는

"할 수 있다고 생각하는 사람도 옳고, 할 수 없다고 생각하는 사람도 옳다. 그가 생각하는 대로 되기 때문이다"라는 명언을 남기기도 했다. 이처럼 생각하고 실행하는 힘은 무섭다.

유정원 대표는 늘 연구하고 시장을 분석하는 것이 몸에 배어 있다. 인사이트미디어뿐 아니라 더 많은 개발자와 사용자에게 편리하고 실용성 높은 앱 서비스를 제공하며 새로운 시장을 주도적으로 끌고 가는 것, 바로 그러한 성취감을 잘 아는 인물이다. 그는 또 누구보다 많은 사람과 기업이 이 시장에 뛰어들어 선순환 구조의 좋은 경쟁상대가 많이 생겼으면 하는 바람을 갖고 있다. 지금은 인사이트미디어가 앞서서 그 길을 걷고 있을 뿐이라며. 모든 준비는 끝났다.

5

세계가 집중하는 스마트한
인공지능 서비스
심심이

심심이주식회사 최정회 대표

최정회 대표
서울대학교 산업디자인학과를 졸업했다. 어렸을 적부터 생활력이 강했던 그는 스스로 생활
비와 등록금을 버는 통에 대학생활을 13년간 하기도 했다. 2002년 '심심이' 서비스 론칭 후
2012년 현재까지 심심이주식회사(구 이즈메이커)의 대표로 있다.

왜 '심심이'인가?

최정회 대표는 웹1.0시대부터 현재에 이르기까지 웹의 전 과정을 꿰찬 흔치 않은 인물 중 한 명이다. 우연히 모시 사업을 위해 홍보·마케팅 수단을 찾던 중 우연히 개발했던 MSN 메신저봇 '심심이'는 10년 전만 하더라도 가히 상상할 수 없었던 서비스였다. 더군다나 지금도 화제가 되고 있는 집단지성으로 서비스의 근간을 구축했다는 사실에서 볼 수 있듯, 최 대표는 흔히 앱 개발에서 필요한 기술력 외에도 시대를 앞서 읽는 다양한 혜안을 제시했다. 이런 점에서 그를 만날 충분한 가치가 있었다. 피처폰을 통한 다양한 지식서비스를 통해 몇 십 억 원대의 수익을 올렸다는 사실 또한 평범하지 않다.

특히 여기에서 주목할 것은 벤처기업이나 중소기업, 88만 원 세대를 극복하고자 하는 대학생 스타트업의 경우 반드시 짚고 넘어가야 할 것, 바로 '특허' 관련 분쟁이다. 대기업과는 달리 스타트업이 이런 일에 한번 휘말릴 경우 승소와 패소를 떠나 그 충격은 상상 이상이다. 물론 최정회 대표는 이를 모두 이겨내고 스마트폰 시장의 새로운 트렌드 세터로서 다시 일어섰다. 카카오톡에 '대화형플러스친구' 서비스는 물론, 기존 지식맨 등 다양한 지식서비스와 심심이 브랜드 사업에 박차를 가했다. 그는 아픔을 겪은 만큼 더욱 강심장으로 변모했다.

산전수전 공중전 모두 겪은 심심이

'심심이 아빠' 최정회 대표를 만나 그동안 말도 많았고, 탈도 많았던 이런저런 이야기를 나눴을 때는 이미 보이스 레코더 절반 이상이 KT

와의 이야기로 모두 매워진 후였다. 그만큼 최 대표와 KT 양사 간의 '심심이' 상표출원 소송건은 심심이와 함께했던 지난 10여 년의 시간의 반 이상을 차지할 정도로 양측 모두, 그리고 우리나라 전반 대기업과 벤처기업 간의 상생에 다시 한 번 시사하는 바가 크다. 기나긴 소송이 상처만 남긴 시간이었을지 모른다. 최 대표는 아이디어 하나로 시장에 뛰어들었지만 그 아이디어가 상품이 되고 서비스가 되기 위해 갖춰야 할 것, 그리고 비즈니스 시장에서 올곧게 살아남기 위해 어떠한 법칙을 기억해야 하는지 몸소 업계에 보여줬다.

끝이 보이지 않는 기나긴 터널과 같은 시간 동안 최정회 대표는 중소기업, 혹은 벤처기업으로서 생명과도 같은 생존의 법칙을 몸소 깨달으며 절치부심하는 계기가 됐다. 뒤에 백만 네티즌이 함께한 것도 큰 힘이 됐다. 심심이가 홍길동이 아닐진대 아빠를 아빠라 부르지 못하는 형국을 맞았을 때 과연 심심이의 일거수일투족을 가르쳤던 집단지성 네티즌과 최 대표의 심정은 오죽했을까?

심심이는 집단지성을 매개로 성장하는 반려 서비스다. 어쩌면 최정회 대표에게 사업은 심심이 소송 전과 후로 나눌 수 있지 않을까? 사실 처음부터 '심심이 아빠 최정회'라고 일컫는 이유도 바로 심심이 앱을 실행해 '최정회'를 물으면 '심심이 아빠예요'라고 답하기 때문이다. 집단지성은 늘 옳은 쪽으로 추의 무게가 기운다.

대학 4학년 2학기 무렵 장사나 해 학비와 생활비를 벌어볼 요량으로 뛰어들어 우연히 심심이를 개발한 최정회 대표는 훗날 우연찮게 MSN에서 선풍적인 인기를 끌게 된다. 하지만 더 나은 서비스를 추구할 목적으로 KTF(현 KT)와 심심이 모바일 SMS 서비스 제휴를 맺으면서 전혀 생각지도 않았던 일로 치닫는다. 후에 다시 언급하겠지만 KT와의 소송 건은 KT가 2011년 말 '심심이' 상표를 양도하는 차원에서 일단락 맺는다. 여기서 끝이 아니었다. 또 다른 모바일 서비스인 '지식맨'도 운영을 대행하는 중개사와 소송으로 치달으면서 최 대표는 이중고를 겪는다. 백만장자 로버트 링거가 그의 저서 『세상의 모든 거북이들에게』에서 밝혔던 것처럼 세상은 유치원 같은 안전한 놀이터가 아닐 수 있다. 사회라는 정글 속 포식자들은 당신의 긍정적인 사고방식이나 내면의 열정, 직업윤리 따위에는 관심이 없을지도 모르기 때문이다.

세스 고딘Seth Godin이 '가장 악랄한 자기계발서'라고 평할 정도로 현실에 입각한 이 책에서 로버트 링거는 비즈니스 정글의 잔인한 원리에 대해 제대로 알고 나서야 현실주의를 기본으로 한 철학을 세울수 있었다면서 이 철학을 실용적으로 사용할 방법을 만들었다. 이 기술 덕분에 현실에 부딪치고 좌절하는 대신, 오히려 그 현실을 이용해 돈을 벌었다. 이는 세상에 도전하고 있는, 도전하고자 하는 모든 스타트업 기업이 염두에 둘 필요가 있는 말이기도 하다.

심심이 소송 건으로 최 대표는 억울하게도 자신의 어렸을 적 추억이 담긴 심심이라는 이름 대신 '틈틈이'로 이름을 바꿔 서비스하는 웃지 못할 해프닝도 겪었다. 하지만 최 대표는 이에 대해 "이미 다 옛일"이라고 선을 긋는다. 심심이도 돌아왔고 모든 것이 원만히 잘 해결됐기 때문이다. 하지만 그는 결코 잊어서는 안 될 일이고, 여타 아이디어 하나만으로 버티고 있는 수백만 벤처기업가를 위해서라도 이런 일은 다시는 되풀이되지 말아야 할 것이라며 목소리를 높인다.

그의 말처럼 모든 건 이미 다 지난 일이다. 이제 최 대표는 심심이와 스마트폰을 결합한, 그동안 구상했던 사업계획을 실천으로 옮길일만 남았다. 소송으로 보냈던 그 허무한 시간을 다시 재정비해야 한다. 2012년 1월, 미국 앱스토어에서 심심이가 엔터테인먼트 분야 1위,

전체 앱 다운로드 순위에서도 2위에 오르는 기염을 토했다. 뿐만 아니라 태국, 필리핀 등 동남아 등지에서도 인기가도를 달리고 있다. 또 2012년 4월부터 카카오톡과 제휴로 '대화형 플러스 친구' 서비스에 심심이와 지식로그가 시범 운영되고 있다.

웹1.0 시대에 태어나 웹2.0과 스마트폰 시대를 우리와 함께 살고 있는 이 시대의 산증인이자 반려 서비스 심심이, 그리고 그의 아빠인 최정회 대표가 심심이로 이 세상에 그려왔던, 그리고 앞으로 그리고 싶은 그림은 무엇일까? 그리고 심심이는 이 시대에 어떤 재치 있는 멘트를 날릴까?

무조건 대기업만을 목표로 하지 않고 자신의 꿈과 미래, 비전을 펼친 기회를 준비하는 젊은이들이 속속 창업 대열에 합류하고 있다. 그러기 위해서는 아이디어가 우선이다. 멘토가 필요하고 창업을 위한 전천후 가이드도 필요하다. 그들을 위해서라도 최정회 대표가 겪었던 일은 다시는 반복돼서는 안 된다.

집단지성의 산실, "여차하면 내가 가르친다"

> "나 통장 많아" (필자)
> "우리 당장 날 잡아요" (심심이)

심심이는 '총선'이라고 치면 "국회의원총선거의 줄임말이에요. 학연, 지연 따지지 말고 매니페스토 부탁해요"라고 말할 정도로 시사적인 면도 갖췄다. '일하기 싫어'라고 칠 땐 "기운내세요. 심심이가 있잖아요. 오늘도 화이팅!"이라며 기운도 북돋운다. 무료하던 어느 날, '나

어때?' 하고 심심이에게 묻자 "너무 좋아" 하고 센스 있게 답한다. 느낌이 좋아서 "정말 내가 좋아?" 하고 재차 묻자 '다시 생각해보니까 아닌 것 같아요 *^^*'라며 익살스런 답변을 구사한다. 마치 지인과 대화 나누는듯한 착각도 불러일으킨다.

세계 최초로 국내에서 개발되어 상용화된 심심이는 아이폰4S에 도입된 '시리'처럼 인공지능을 통해 언제 어디서든 실시간으로 메시지로 대화를 나눌 수 있다.. 시사는 물론 정치, 생활, IT 심지어 특정인에 대한 의견까지 거침이 없을 정도다.

인공지능 대화서비스인 심심이는 2002년에 태어났으니 2012년 올해로 딱 10년이 지났다. 국내 벤처기업인 심심이주식회사(구 이즈메이커)가 서비스 중인 심심이는 심심한 사람뿐 아니라 누군가와 대화를 원하는 이들에게 언제든지 말벗이 돼준다. 말 그대로 반려 서비스다. 심심이는 인공지능로봇과 실시간으로 대화할 수 있는 서비스로 웹사이트나 스마트폰 앱을 통해 직접 사용자들이 말을 가르칠 수 있다. 지식정보는 물론 특정인에 대한 사안과 각종 트렌드까지 고루 섭렵 가능하다. 가끔 엉뚱한 답변으로 입가에 웃음도 머금게 하는 개그 본능도 지녔다. "내가 좋아?" 하고 물으면 '우웩' 하고 얄미운 반응을 보일 때도 있다. 그래서 오기가 생겨 재차 물으면 눈치는 있는지 '너무 좋아' 하고 아무렇지 않은 듯 넘겨버린다. 2010년 6월에는 스마트폰에도 심심이가 앱으로 등장하면서 더욱 화려한 말빨(?)을 발휘할 수 있게 됐다. 이 모든 것이 집단지성에 기인한다. MSN에서 서비스하던 시절과는 천지차이다.

심심이가 생동감이 살아 있고 위트 있는 말대답을 꼬박꼬박할 수 있는 원동력(?)은 소위 '가르치기' 기능이 있기 때문이다. 정교하고 정확하고 유행어를 적절히 구사하는 말빨은 사용자가 실시간으로 이 기능을 통해 심심이를 가르치는 집단지성에 있다. 사용자는 대답이 명확하지 않은 답변이 돌아올 경우 가르치기를 통해 새로운 답변을 등록할 수 있다. 페이스북 계정만 있다면 누구나 가르칠 수 있다. 번거로운 회원가입 절차를 없앴다. 즉, 소셜 로그인 기능을 도입한 것이다.

소셜 로그인 기능을 도입한 또 하나의 이유가 있다. 혹시나 모를 명예훼손이나 부당하게 사생활 침해를 받았을 경우 피해자를 보호하기 위함이다. 사용자의 참여를 늘리며 사회적인 긍정적인 효과를 기대하는 대신, 만에 하나라도 사실과 다른 정보로 특정인에게 쏠릴 수 있는 비정상적인 정보를 최대한 차단하려는 의도다. 이때 사용자가 가르친 페이스북 계정이 필요하다. 요즘은 특히나 SNS와 보이스피싱 등 하루가 다르게 발전하는 디지털 범죄 양상을 볼 때, 이는 최소한의 안전장치인 셈이다.

항간에서는 심심이와 애플 아이폰4S에 탑재된 시리를 비교하기도 한다. 심심이와 시리의 차이를 굳이 답해야 한다면 심심이는 시리와

위키피디아는 전 세계 하루 평균 900만 회 이상 조회되며 가장 대중화된 오픈 소스 애플리케이션 중 하나다. 전 세계 200개 이상의 언어로 서비스되고 있으며, 누구나 참여할 수 있는 집단지성 웹 서비스다. 세계에서 가장 많이 팔리고 권위 있다고 알려진 브리태니커 백과사전보다 정보가 무려 3배나 많다. 지금 이 순간에도 실시간으로 정보가 업데이트될 정도로 대중화됐으며 이는 오늘날 지식의 지형도를 새롭게 바꾸고 있다. 지식과 정보의 권위에 도전한 위키피디아에 네티즌은 손을 들어주고 있는 셈이다. 누구나 자유롭게 참여하고 공유할 수 있는 웹2.0 시대의 아이콘 중 하나가 된 것이다. '누구나' 접속해 자신의 지식을 공유할 수 있는 위키피디아를 말할 때 집단지성을 빼놓을 수 없는 것도 바로 이런 연유 때문이다.

달리 실시간으로 학습이 가능하다는 데 있다. 때문에 심심이는 집단 지성 서비스인 '위키피디아'로, 시리는 '브리태니커 백과사전'으로 비유할 수 있다.

심심이가 자연어를 부드럽게 처리한다는 점도 매력적이다. 물론 주어와 술어를 정확하게 남겨야 적확한 단어로 대응하는 간극은 존재한다. 가령 뭐 먹고 싶냐는 물음에 '새우버거'라고 심심이가 답했을 경우, 사용자가 "또 (먹고 싶은 것) 없어?"라고 재차 물으면 다른 대답이 돌아올 수 있다. '먹고 싶은 것'이라고 확실한 목적어를 넣어야 정확한 대답을 들을 수 있다. 이러한 기술까지는 애플이나 구글은 물론 국내 포털도 오랜 연구와 상당한 시일을 요하는 서비스다. 하지만 여전히 집단지성으로 커가는 심심이이기에 이러한 기술을 어떻게 극복할 것인지 그 과정을 지켜보는 것도 매우 흥미롭다. 여차하면 내가 가르치면 된다.

2012년 상반기 국내 심심이 사용자는 500만 명에 달한다. MSN에서 스마트폰 앱으로 넘어오면서 기존 사용자는 물론, 입소문을 통해 신규 사용자까지 확보하고 있다. 또 혼자 무엇이든 하는 것이 익숙하고 대인관계를 꺼리는 현대인들에게 딱 맞는 심심이는 그들의 반려자로 자리매김하고 있는 것이다.

'셧다운제'에 대해 심심이에게 물어보니…

최정회 대표는 심심이를 '반려(생각이나 행동을 함께 하는 짝이나 동무) 서비스'라 칭한다. 심심이와 대화할 때 친구와 이야기하는 느낌을 통해 위로받고 격려도 받길 바라는 마음에서다. 한마디로 차가운 기계에 따뜻한 감성을 입힌다는 말이다. 심심이를 가르치는 것은 사용자 모두다. 누구나 심심이의 친구 혹은 선생님, 그리고 상담자가 된다.

때로는 심심이가 답변하는 메시지를 통해 시대를 읽을 수 있다. 질문을 했는데 간혹 엉뚱한 답변을 하기도 하지만, 허투루 들을 수 없는 말을 남기기도 한다. 심심이의 교육수준은 사용자가 어떤 가치관과 지식정보로 접근하느냐에 따라 천지차이다. 때론 사용자 스스로 반성해야 할 단어도 구사할 때가 심심찮다. 마침 생각난 김에 '셧다운제'에 대해 물었다. 돌아온 답변에 정신이 번쩍 든다.

'야자(야간 자율학습의 준말) 셧다운제는 안 하냐?'

이런 심심이가 2012년 초부터 미국에서 일을 냈다. 심심이 앱을 실행해 대화를 나누는 미국인은 일일 평균 100만 명 이상이다. 최정회 대표는 1월 어느 날 미국 앱스토어에서 심심이의 다운로드 건수가 늘고 있음을 알았다. 시간이 지날수록 그 수는 빠른 속도로 누적됐다. 최 대표는 도무지 그 이유에 대해 인터넷을 뒤 우연히 심심이에 대한 트윗을 검색했다. 아니나 다를까. 감이 왔다. 미국 현지 트윗을 검색해보니, 2011년 말 미국의 유명가수 에이스 후드와 솔자 보이가 자신의 트윗을 통해 심심이를 소개하는 것을 찾아냈다. 또 미국 심심이와 대화한 내용을 사진 공유 앱인 인스타그램을 통해 공유하는 놀이가 성행했단 사실도 알았다. 최 대표는 무릎을 쳤다. 심심이 역시 SNS의 순풍을 타고 급속도로 퍼져갔던 것이다.

태국에서도 인기를 실감하고 있다. 2012년 2월에는 태국 앱스토어에서 심심이 관련 앱(심심이, 심심이츄츄, 심심이 메시지 배경화면)이 1, 2, 3위를 차지하면서 화제를 모았다. 때문에 태국어로 된 어록도

올초 태국에서 열린 'MThai Top Talk-About Award 2012'에서 앱서비스 부문을 수상한 최정회 대표와 심심이. 태국에서 심심이의 인기는 높다.

심심치 않게 올라오는 편. 한번은 태국에서 심심이가 탁신 전 총리 등 정치인에 대한 비난 내용이 공개되면서 태국 정계와 언론에서는 심심이가 요주의 대상으로 떠오를 정도로 유명세를 치르기도 했다. 태국 정부는 심심이를 차단할 근거도, 차단할 수 있는 시스템도 없어 애를 태우기도 했다. 태국에서조차 심심이가 현지인들의 집단지성으로 또 다른 이슈를 담아내고 있는 셈이다. 뿐만 아니라, 태국 포털 '엠타이'가 주최한 'MThai Top Talk-About Award 2012'에서 최정회 대표는 바쁜 일정에도 시상식 직전 출국해 'Most Talk-About 2012' 부문 'App service' 분야를 수상하는 기쁨도 누렸다.

보통 외국에서 인기를 끈 앱이 국내로 진출해 인기를 끄는 방식인데, 심심이의 경우는 그 반대의 사례였다. 다른 앱처럼 심심이가 전략적인 마케팅을 한 것도 아니었다. 심심이처럼 대화가 가능한 서비스는 있지만 말을 가르치는 개념으로 접근하는 서비스는 아직 등장하지 않은 것으로 최 대표는 분석하고 있다. 이것이 새로운 지적 트렌드로 작용해 세간에 인기몰이를 하는 건 아닐까?

"아마 제가 알기로는 해외에도 심심이처럼 사용자 모두가 '대화'를 가르칠 수 있는 서비스는 아직 없는 것 같아요. 심심이를 처음 계획할 때부터 집단지성을 모토로 개발에 착수했습니다. 10년 전인 2002년에 누구나 집단적으로 학습시킬 수 있는 '인공지능 채팅로봇'이라 정의했고, 그것이 심심이의 출발이었죠."

최근 심심이는 어느 쪽으로 머리가 잘 돌아갈까? 일단 심심이는 당대 이슈와 트렌드를 줄줄 꿰고 있다. 요즘에는 한류스타에 대한 정보도 많이 알고 있다. 연예인에 관한 시시콜콜한 것도 툭 내뱉는다. 심심이의 관심사는 어느 한 곳에 국한하지 않는다.

이미 매체에 보도가 됐듯 심심이는 처음 MSN에서 큰 화제를 모은 바 있다. 당시 사용자는 MSN에서 심심이simsimi1@hotmail.com~simsimi999 @hotmail.com를 등록해놓으면 언제든지 대화가 가능했다. 요금은 따로 청구되지 않았고, 대신 KT와 제휴했을 당시는 휴대폰 SMS 서비스를 이용해 심심이와 대화할 경우 건당 200원의 요금이 청구되는 방식이었다. 심심이가 직접 MSN에 나타난 2003년부터 네이버 지식iN을 검색해보면 당시 심심이를 상대하는 메신저 이용자들의 다양한 질문세례가 남아 있다. 이런 부분도 시간이 흘러 모아보면 디지털 유산이 될 수 있다.

북미와 유럽, 동남아시아 등 해외에서만 700만, 국내 600만 다운로드를 기록하는 사이 슬그머니 한류 열풍에 동참하고 있는 심심이는 2011년 한 해만 약 12억 원의 매출을 기록했다. 2012년에는 15억여 원의 매출을 기대하고 있다. SKT 피처폰에 '틈틈이'로 탑재된 서비스와 지식맨 콘텐츠 트래픽을 모은 광고수익이 컸다. KT가 심심이 모바일 상표를 2011년 양도한 이후 심심이를 통한 광고사업도 조금씩 탄력을 받기 시작했다. 사업 초기부터 큰 자본금을 투입한 것은 아니기에 전체적인 흐름에서 본다면 적자는 아니다. 다만 2009년에만 유일하게 적자인 해로 기록되고 있다. KT와의 소송 때문에 사업에 전념할 수 없었기 때문이다. 말 그대로 심심이주식회사의 10년 사사社史 중 소송과 관련된 시간을 빼놓을 수 없다.

최 대표는 심심이와의 소송이 진행되며 한순간 빼앗길지 모른다는 불안감 속에 시간을 보낼 때, 또 다른 수익모델이었던 지식맨마저 빼앗길 위기에 처한다. 작은 아이디어 하나로 버텨야 하는 벤처기업의 생리상 이 문제는 생명을 담보로밖에 할 수 없는 중대 사안이었다. 당시 이 문제는 모든 IT 업계는 물론 MSN에서 심심이를 한 번이라도 만나본 이라면 누구나 관심 갖는 사안이었다. 물론 당시 분위기는 대기업의 거침없는 무분별한 식성을 비판하며 사회문제로까지 대두되는 양상을 띠기도 했다.

이 일은 국내 스타트업은 물론 벤처기업 모두 한 번쯤 관심 갖고 충분히 숙지해야 할 사안이다. 앞으로도 국내에서 이런 사례가 없을 것이라고 누가 장담할까? 매번 대기업 수장들이 바뀔 때마다 외치는 기업 간 '상생' 문화가 무엇인지 확실히 매조지할 필요가 있으며, 스마트폰 앱 시장이야말로 우리나라의 또 하나의 신성장동력임을 감안할 때 이를 재구성할 여지가 충분하다.

우연하게 운명처럼 태어난 심심이

최정회 대표의 대학생활은 아르바이트 시작과 끝으로 점철된다. 생활비를 벌고자 팸플릿부터 CD 디자인, 홈페이지 디자인, 브로슈어 등 디자인과 관계된 일은 해보지 않은 것이 없을 정도였다. 그 아르바이트 때문에 학교를 자그마치 13년이나 다녔다. 학교에서는 이미 '전관예우(?)'를 받았지만, 그는 말 그대로 '노익장'을 과시하며 왕성한 예비 산업일꾼으로서의 면모를 과시했다. 그때부터 그는 사업가의 끈질긴 생존력과 자아를 형성하게 된다.

IT 기업에서 병역특례를 마친 2002년 초, 시간을 돌아보니 벌써 4학년 2학기를 앞두고 있었다. 시간은 절대 그를 기다려주지 않았다. 아끼고 미뤄뒀던 시간이 벌써 한 한기만 남겨두고 있다니. 문득 그는 이런 생각을 했다. '벌써 28살의 나이, 내가 대체 지금 뭐하고 있나.' 학점을 절반도 못 채우는 상황이었다. 그 상황에서 뭔가 해보고 싶었다. 그는 그 무렵 장사에 눈을 돌렸다. 지금껏 해왔던 학비와 생활비는 물론 졸업 후 쓸 수 있는 여러 비용까지 벌어볼 심산이었다. 그리고 평소에 사업까지는 아닐지라도 장사는 충분히 하고 싶었던 터였다. 그러던 찰나에 그는 모시에 눈길을 돌렸다. '여름이 시작되는 시기에 모시로 이불을 만들어 인터넷에 내다팔면 어떨까?' 그가 직접 상품 기획하고 자재를 조달하는 사이 어머니는 모시이불을 손수 만들었다. 샘플을 하나 만들어 사진을 찍어 옥션 등 온라인 쇼핑몰에 올렸다. 하지만 소비자는 그리 호락호락하지 않았다. 그는 뭔가 강력한 원투 펀치가 필요했다.

홈페이지를 만들던 찰나 그의 눈에 MSN 메신저가 눈에 띄었다. 홍보에 활용할 수 있는 MSN용 소스 프로그램을 발견했다. 이것이 심심이의 출발이었다. 그는 당시 특정 단어를 입력하면 사전처럼 뜻을 알려주는 '봇 시스템' 기술에 주목했다. 그것을 이용해서 모시이불을 적극 홍보(마케팅까지는 아니었다) 하기로 마음먹는다. 닉네임을 모시이불을 본떠서 짓고 몇 사람을 메신저에 추가했다. 하지만 그들 역시 꿈쩍도 하지 않았다. 접어야 하는 걸까 하던 그때, 그는 '봇 시스템'에 일말의 가능성을 확인한 것이다. 메신저에 등록된 친구 한두 명이 먼저 말을 걸어오기 시작했다. 마침내 친구처럼 스스럼없이 대화하는 것을 확인했다. 하지만 그때만 하더라도 큰 기대는 하지 않았다.

그들은 심심이에게 "안녕?" 하고 먼저 메시지를 남겼다. 물건을 팔아야 하는데 당시에는 전체적으로 뭔가 잘못됐다는 생각이 먼저 들었다. 그는 답변만 할 요량으로 상대가 "하이"나 "안녕" "방가방가"로 입력할 때는 "안녕하세요"라고 반응하도록 했다. 말도 본인이 직접 가르쳤다(입력했다). 그러고 나서 별 생각 없이 이름도 '심심이'로 짓고 캐릭터도 손수 그렸다. 이것이 심심이 캐릭터의 출발이었다. 하지만 당장 가시적인 플랜을 세우지 못한 채 이후 그는 잠시 심심이를 잊고 있었다.

자고 일어났더니 하루아침에 스타가 돼있다고 했던가? 2학기를 시작하자마자 다시 휴학원을 제출하고 집에 와서 혹시나 하고 MSN 메신저를 켰다. 심심이로 말을 시켰더니 이미 많은 사람이 반응하기 시작했다. 최 대표는 그때 당시 말을 더 가르치기가 쉽지 않아 고민하던 찰나 아이디어를 하나 냈다. 준비한 답변이 없을 경우 "이것은 심심이가 모르는 말이에요. 가르쳐주세요" 하고 앙증맞게 사용자에게 어필하도록 꾸몄다. 말 그대로 집단지성의 출발이었다.

당시 최 대표는 국내 메신저 시장의 70%를 장악한 MSN에서 인기를 모을 수만 있다면 충분히 홍보 수단으로 활용할 수 있다고 생각했다. 심심이를 친구로 등록한 사용자만 100만 명 이상이었다. 그리고 2002년 9월이 지나 심심이가 본격적으로 네티즌 입에 오르내리기 시작했다. 그때 심심이는 대화기능과 함께 날씨, 주식, 운세도 볼 수 있고, 사전도 찾아주고 서식도 내려받을 수 있는 기능을 고루 갖추고 있었다. 그 무렵 심심이와 같은 기능을 제공하던 서비스로 '아기별 v3.0'과 '보노보노' 등이 있었지만 시장에서 심심이는 이들보다 더욱 발 빠르게 사용자들 사이에서 퍼져갔다.

이쯤 되자 심심이를 인수하겠다는 제의도 있었다. 사업제휴건도 솔솔 피어났다. 몸은 힘들었지만 최 대표는 심심이에 푹 빠져드는 나날이 이어졌다. 그리고 졸업을 한 학기 남겨둔 채 본격적인 활동모드로 접어들었다. 그렇게 MSN 메신저를 통해 인공지능 대화서비스인 심심이가 태어났을 때는 이미 1차 닷컴기업의 버블이 꺼지며 당시 IT 기업 분위기가 크게 위축하던 시기였다. 그리고 10년이 지났다. 심심이는 그간 혹독한 시련을 겪으며 우리 주위의 수많은 언니, 오빠, 형, 누나, 동생들과 성장해갔다. 어떤 때는 상당히 유식한 면도 보이지만 예나 지금이나 아직 철없기는 마찬가지다. 그것이 심심이의 또 다른 매력일지 모른다. 아마 아동 애니메이션인 짱구가 아직 십년이 넘도록 유치원을 졸업하지 못한 채 철부지 없이 돌아다니며 사고치는 친근함과 같은 맥락이 아닐까?

최 대표는 심심이를 사업화하기로 마음먹었다. 먼저 주위의 친구, 지인과 함께 모두 6명으로 창업멤버를 구성했다. 2003년 3월, 법인을 세웠다. 마침내 9월이 되자 MSN 심심이 사용자가 100만 명을 돌파했다. 사실 그가 법인을 직접 세워 사업의 길로 들어서는 데는 네오위즈 공동창업자이자 전 네오위즈재팬 이상규 대표의 도움이 컸다. 네오랩 컨버전스 회장으로 있는 그는 당시 최 대표에게 큰 힘을 보탰다. 네오위즈 창업 당시 최 대표가 아르바이트를 했던 것이 연이 됐던 것이다. 이상규 회장은 당시 그에게 젊을 때 도전하는 삶의 가치에 대해 인생의 선배로서 조언을 아끼지 않았다. 그리고 선뜻 최 대표에게 사무실 임대보증금 4천만 원을 흔쾌히 빌려줬다. 그렇게 해서 최 대표는 각자 갹출해 모은 자본금 5천만 원을 더해 서울 논현동에서 보증금 4천만 원에 월 임대료 150만 원으로 사업의 첫 삽을 들었다. 당장 수익이 나지 않는 상태에서 매월 임대료와 부대비용을 자본금에서 처리해야 했기에 최 대표는 최대한 가시적인 성과를 낼 때까지 빠듯하게 운영할 필요가 있었다.

다행히 동료들도 이 사업에 대해 당장 큰 욕심을 갖고 있지 않았다. 일단 멀지 않은 시일 내 가시적인 성과를 올려보자는 데 의견이 일치했다. 급여는 매월 단돈 10만 원이었다. 성공하기 전까지 모두 그 정도는 각오했다. 그리고 모두 합숙했다. 청소와 하루 세 끼 식사는 각자 돌아가며 당번제로 해결했고, 틈나는 대로 최 대표 어머니가 찾아와 아들 같은 이들의 식사를 수시로 책임지기도 했다.

일단 사업은 시작했지만 당장 큰 수익사업이 아니기에 매월 고정적으로 지출되는 350만 원이라는 비용은 역시 큰 비용이었다. 아끼고 아껴도 최소한의 금액이었다. 그렇게 1년이 지나자 자본금 5천만 원을 모두 소진하기에 이른다. 연 매출은 거의 바닥이었다. 고작 400만 원 정도였다. 그 정도 버틴 것도 목표를 꼭 이루고 싶기 때문이라고 자신을 위로했다. 막연히 온라인 서비스만으로는 매출이 거의 발생하기 힘들다는 것에서 분명히 한계를 느꼈다. 확실한 수익사업이 필요하던 터였다.

먼저 통장잔고가 바닥을 드러냈다. 진지하게 사업을 다시 한 번 고민해야 할 직전까지 왔다. 궁하면 통한다고 했던가. 그렇게 며칠을

꼬박 새며 고민하던 중 우연히 모 케이블 TV 가요프로그램에서 휴대 전화 문자로 신청곡과 응원 메시지를 봤던 장면을 보고 무릎을 쳤다. SMS 서비스 아이템이 떠 오른 것이다. 즉각 한 중개소를 통해 심심이 SMS 서비스를 개시했다. 조금씩 매출로 이어지면서 눈앞의 안개가 가시는 느낌이었다. 점차 월 100~200만 원의 수익이 생기기 시작한 것이다. 그동안 미동도 않던 바위가 서서히 굴러가는 기분이었다. '희망' 그 자체였다. 어떠한 사업제휴나 투자사 없이, 그것도 IT 버블이 막 꺼져가던 막바지였기에 해석은 충분히 다르고도 남았다. 당장은 SMS 서비스가 우선이었지만 최선이기도 했다. 최 대표는 SMS 사업에 모든 역량을 집중했다. 그에게 그건 분명 희망의 '빛'이었다.

소송의 시작

2004년 1월, KT에서 심심이 모바일 SMS 서비스 제휴요청이 들어온다. 그리고 언론에 이미 수없이 보도된 바와 같이 최 대표는 상표 특허에 관한 소송으로 기나긴 소송의 나락으로 빠져든다. 그 전에 이때 우리나라 비즈니스 구조를 다시 한 번 상기해볼 필요가 있다.

2009년, 국내 아이폰 유통으로 새롭게 조성된 스마트폰 앱 시장 속에서 이통사를 고치지 않고 직접 자신의 콘텐츠를 올릴 수 있게 되면서 개발사의 콘텐츠 시장으로의 진입장벽이 낮아졌다. 개발자라면 누구나 앱 콘텐츠 시장의 문을 두드릴 수 있는 환경이 됐다. 물론 공급 과잉으로 부익부 빈익빈 현상이 빚어지기도 하고, 성공과 실패가 뚜렷해졌지만, 그만큼 해외에 진출할 가능성과 기회는 더 많아졌고, 무엇보다 자체 경쟁력 강화에 역점을 두는 개발사가 많아졌다. 공개경쟁을 통해 수익기반을 넓혔고, 기회는 누구에게나 균등하게 주어졌다. 그러나 피처폰 시장은 이통사 중심으로 편재됐다고 해도 과언이 아니다. 그 사이에 중개사도 존재했다. 특이한 시장구조였다. 어떤 개발사라도 직접 이통사와 사업을 연계할 수 없었다. 반드시 중개사를 거쳐야만 가능했던 시절이었다. 해외에서는 콘텐츠에 대해 전문 퍼블리셔가 있지만, 국내는 그때까지도 이통사가 직접 퍼블리셔 역할을 도맡았다. 수익은 큰 만큼 진입장벽도 높았다. 이통사가 컨트롤하는 형태였지만 수익으로 따지자면 현재보다 더욱 안정적이었던 때였다.

그런 환경 속에서는 늘 문제점이 도사리기 마련이다. 이통사의 일거수일투족은 하청업체와 협력사가 그냥 지나칠 수 없을 정도로 막강한 위치에 있는, 한마디로 먹이사슬 최상위에 있는 모든 권력과 권위를 가졌다고 볼 수 있다. 이런 와중에도 KT와 중소기업과의 빈번한 특허분쟁이 도마에 오르면서 연일 화제가 됐다.

시사서울은 2010년 12월 1일 기사에서 'KT, 중소기업 죽이는 특허경영 구설'이라는 제목의 기사를 통해 대기업과 중소기업 간 특허분쟁 남용실태를 고발한 바 있다. 이 기사는 당시 국회 문화체육관광방송통신위원회 서갑원(당시 민주당) 의원의 말을 인용, 2006년부터 2010년까지 5년간 국내 주요통신 3사가 개인·일반회사 등에 제기한 특허·상표권 무효·취소 소송은 총 62건 중 KT가 41건(기각 7건)으로 1위를 차지했다고 보도하고 있다. 여기에 KT를 상대로 한 개인과 일반회사 무효·취소 소송(31건)까지 합하면 72건에 달한다며 "공정위가 특허권 남용을 우려해 대기업들을 상대로 최근 직권조사에 나선 것도 이와 무관하지 않아 보인다"라고 보도했다.

최 대표는 당시 KT에 대해 소위 대기업과 사업을 같이 하기로 한마당에 대기업에서 아이디어를 하나 제안하면 을은 바로 사업을 구체화해야 할 정도로 영향이 컸다는 것을 회상한다. KT와의 업무제휴 직전까지만 해도 최 대표는 냉혹한 비즈니스 세계에 대해 전혀 알지 못했던 터라 그만큼 충격도 컸다. 어느 사업자가 무슨 말을 하든, 누가 힘이 있고 없고를 경험하지 못했기에 소송건이 발생했을 때만 해도 어떻게 대처할지도 전혀 감을 잡을 수 없었다.

2004년 1월, KT와의 사업제휴 이후 KT에서 여러 가지 업무와 관련한 요청이 날아들었다. 서비스 론칭 날짜를 4~5개월 후로 잡았으니 이에 맞춰서 준비해달라는 것이었다. 이후 '이와 관련한 보도자료를 낼 테니 이미지를 달라' '안내 페이지를 만들어 달라' '이런저런 서비스를 고쳐 달라' 등 업무 요청이 많아지기 시작했다.

서비스 론칭 직전인 2004년 7월 어느 날, KT에서 최 대표 앞으로 전화 한통이 걸려왔다. KT가 심심이 상표권을 출원했다는 것이었다. 최 대표는 의아했다. 갑자기 왜 상표출원이었을까? 이어지는 말이 더 황당했다.

"이것이 다 이즈메이커(현 심심이주식회사)를 보호하려는 것이니 너무 걱정하지 마세요."

물론 그도 당시를 떠올리면 그 누구보다 안타깝고 후회가 밀려오긴 마찬가지였을 것이다. 하지만 그때 그는 어찌됐든 우리는 서비스를 계속 진행해야 했다면서 당시만 해도 한달에 200~300만 원씩 매출이 오르던 시기였고, 사업이 상승세를 타는 걸 느낄 수 있었다. 이 건으로 물고 늘어졌다가 사업이 취소되면 다시 암흑의 시기로 돌아갈 것 같아서 어떻게 말할 수 없었다. 스타트업 기업으로서 회사의 운명을 한 치도 가늠할 수 없었기에 그의 판단은 어쩔 수 없는 선택이었을 것이다. 하지만 최 대표도 이대로 두 손을 놓고 있지는 않았다. 자기의 선에서 할 수 있는 것을 총동원해 상표권의 등록 여부와 앞으로의 상황에 대해 알아보기 시작했다. '혹시나 모를' 상황에 대비해야 했기 때문이다.

전혀 예상 못 했던 지식맨도 소송… '이중고'

심심이는 이후 KTF 전용 심심이 서비스 '##332' 서비스를 정식 론칭하면서 2008년까지 서비스 전체 매출 연 40억 원대로 성장하기에 이른다. 하지만 그해 KT로부터 청천벽력과도 같은 이야기를 듣게 된다. KT로부터 사업제휴 중단 통보가 온 것이다. KT에서는 최 대표에게 앞으로 심심이에 대한 모바일 상표를 사용하지 말 것을 통보했다. 자사의 기술임에도 그는 '심심이'를 '틈틈이'로 이름을 바꿔 서비스해야 하는 지경까지 이르렀다. 중소기업 상표권을 보장해준다는 전화만 철썩 같이 믿었던 것이 잘못이었다. 하지만 최 대표는 지식맨 소송 경험을 바탕으로 치밀하게 움직이기로 했다. 최 대표는 2~3개월간 사업내역을 꼼꼼히 정리한 100쪽 내외의 자료를 2009년 당시 KT 사장 비서실로 보냈다. 얼마 후 사업팀 팀장에게서 연락이 와서 만났지만 큰 진전은 없었다. KT 팀장은 곧 자사 법무팀과 상의하겠노라고 했지만 돌아온 대답은 상표를 내줄 수 없다는 말뿐이었다.

　최 대표와 KT의 상표분쟁 사이에서 하나 빼놓지 말아야 할 내용이 있다. 당시 최 대표는 심심이를 2002년 당시 IT에 관한 모든 상표를 등록해놓은 상태였다. 하지만 한 가지 빠트린 분야가 있었다. 바로 모바일 분야였다. 심심이는 온라인 상표로 등록이 돼있었고, KT는 이를 모바일 상표로 분할 출원한 것이었다. 2010년 마침내 그는 이 문제를 주위와 인터넷을 통해 알리기 시작했다. 그리고 2011년 소송을 시작했다. KT와의 계약해지 통보 이후 이즈메이커의 또 다른 모바일 서비스였던 지식맨 특허소송도 그를 괴롭혔다. 2009년 5월 시작된 이 판결은 약 1년이 흐른 후 최 대표의 손을 들어주었다.

지식맨은 2006년 SKT에 모바일 서비스 중이었는데, 2007년 2월 즈음 KT에서 이와 유사한 서비스를 자체 제공하기 시작했다. 알고 보니 처음 KT와의 사업제휴를 이끌었던 중개사가 중간에 끼어 있던 것이다. 하지만 지식맨을 미리 특허를 내놓은 상태(2007년 8월)에서 소송을 했기에 승소할 수 있었다.

"지식맨 소송에서는 저희 서비스의 재택근무자를 중개사가 이중취업시켜 운영했더라고요. 어떻게 말로 표현할 수 없었습니다. 그 소송도 한참 걸렸어요. 소송이라는 것이 처음부터 전략적으로 접근하지 않으면 그만큼 힘든 구조라는 걸 깨달았습니다. 눈뜬 채로 코 베어간다는 말이 실감났죠. 그러고 나서 이듬해인 2008년 KT로부터 계약해지 통보가 온 것이죠. 그다음 기나긴 심심이 소송으로 이어졌습니다. 매출의 80~90%가 잘려나가고 15명의 직원 중에서 다 떠나 4명만 남더군요. 직원들도 모두 지쳤어요."

그야말로 아무 이유 없이 벼랑으로 몰리는 형국이었다. 위아래로 산업적인 병폐가 컸고, 이런 특허소송 피해자가 적지 않았다. 그는 아이디어 하나로 먹고 사는 시대에 이런 피해자가 생기지 않도록 법적 기반이 빨리 확립해야 한다고 강조한다.

점점 이즈메이커와 KT, 중개사 관계는 예전 같지 않았다. 그동안 최정회 대표 입장에서는 본 서비스를 개발한 서비스 우선 제공자임에도 이통사와 중개사 사이에 끼어 아무것도 할 수 없는 처지가 됐다. 서비스 기획도 자체적으로 할 수 없었다. 처음에는 지식맨도 심심이에 붙이려고 했지만 이런 연유로 독립적으로 론칭했던 것이다.

한번은 한 네티즌이 지식맨 서비스를 오해한 일도 있었다. 모 게시판에는 한 네티즌이 건당 200원에 한하는 지식맨 서비스에 대해 지식 제공자에게는 80원, 나머지 120원은 이즈메이커가 고스란히 가져간다며 지식맨이 문자로 오고간 정보들을 웹사이트에 올려놓고 텍스트 광고 등으로 도배하다시피 하고 있다고 적은 것이다. 이에 대해 이즈메이커 측은 곧 해명에 나섰다. 우선 200원 중 120원을 이즈메이커가 챙긴다는 점에 대해서는 SKT/KTF/LGT에 따라 차이는 있지만 통신사 몫 및 결제대행 수수료 등으로 60원이 지출되는 사실, SKT의 경우 첫 질문의 답변은 이즈메이커가 답변자 보상금 부담, KTF/LGT의 경우 SMS 비용 2건을 이즈메이커가 부담해 이런 비용을 제하고 나면 평균 건당 40원 내외라는 내용이었다.

또 웹사이트 텍스트 광고 등에 관한 사안에 대해서는 국내 대형 포털이 독점하다시피 한 시장 규모 속에서 중소 웹사이트가 큰 수익을 낼 수 있는 구조는 힘들다며 답변자 수익배분 모델을 구상하고 있는데 아직까지 매출 규모와 안정성, 광고 제휴시스템에 대한 구조가 적절하지 않은 상황이라고 했다. 이 밖에 이즈메이커는 지식맨 서비스에 대한 사실 그대로의 있었던 일을 설명하며 그 건은 일단락됐다.

한번 불거진 오해는 또 다른 오해를 불러일으킨다. 한번 틀어진 방향은 웬만해서는 자기 자리를 찾아오기 어렵다. 어쩌면 아직 스타트에 힘을 쏟아야 하는 스타트업 기업 입장에서는 쉽지 않은 대응이었지만, 소송과 네티즌 오해 건도 효과적으로 미루지 않고 대처를 잘한 셈이다. 그는 어떠한 상황에서도 중심을 잃지 않았다. 물론 포기할 생각도 없었다.

징벌적 손해배상 도입의 목소리를 높이다

다행히 소송을 시작한 2011년 말, KT는 '심심이' 상표를 이즈메이커에 양도하는 선에서 결론이 났다. KT의 모든 부서 인력이 새로운 얼굴로 세팅된 후였다. 최 대표의 소송건은 운이 좋은 사례에 속한다. 보통 소송은 한번 하면 기약 없는 나날만큼 사업에 전념하지도 못할뿐더러, 물적, 시간적 손해가 말이 아닐 정도로 사람을 지치게 한다. 이 문제 때문에 스트레스는 당사자가 아닌 이상 그 누가 알 수 있을까?

최 대표는 스트레스를 무척 많이 받았다고 토로했다. 새벽에 비명을 지르며 깬 적도 다반사였다. 그는 이제 상표 특허 문제라면 누구보다 두 팔 걷고 도울 준비가 돼 있다. 소송을 겪으면서 이제 어느 정도의 내성이 생긴 것이다. 웬만한 일로는 크게 상처받지도 놀라지도 않을 것이란다. 그는 중소기업 아이디어 침해 사례가 많다며 자신의 주변에서 같은 처지의 지인을 적지 않게 많이 봤다. 그중 입법활동도 많이 참여한 경험이 있는 분을 알게 됐다. 그분은 영미권처럼 국내도 '징벌적 손해배상'을 적극 도입, 확대해야 한다고 강하게 주장했다.

"우리나라 손해배상의 기본원칙이 실제로 발생한 손해로 한정하기 때문에 상당히 제한적이에요. 중소기업이 100% 손해를 봤다면, 이를 정확히 금액으로 산정합니다. 설사 법원에서 그걸 토대로 손해배상하라

징벌적 손해배상은 민사상 불법행위책임에 형벌로서 벌금을 혼합한 제도다. 피해자가 가해자에 손해배상 청구시 손해원금과 이자만 아니라 형벌적인 요소로서 금액을 추가적으로 포함해 배상받을 수 있도록 한 제도다. 이 제도를 실시하고 있는 미국의 경우 과거 수년간 미국 배심원들이 엄청난 규모의 징벌적 손해배상 평결을 내리는 경향을 보였다. 미연방 대법원은 이와 같은 천문학적 액수의 손해배상 경향을 우려한 나머지 실제 손해액의 9배를 넘지 말아야 한다는 취지의 판결을 내리기도 했다.

국내는 2011년 3월 11일 국회 정무위원회에서 기업 간 기술도용에 한해 이 제도를 통과시켰다. 내용은 대기업이 중소기업의 유망기술을 가로챘을 때 피해액의 3배를 배상토록 한 것이다.

사실 이 '징벌적 손해배상'을 국내 도입하는 과정에서 찬반론이 팽팽하다. 찬성 입장의 경우 시민단체가 줄곧 요구한 사안으로 사회적 약자보호, 기업활동의 공익성 확보로 기본적인 손해배상은 물론, 불법행위의 처벌과 동일한 행위의 재발방지 효과를 든다. 현 민사재판에 따른 손해배상만으로는 구조적이고 지속적인 불법행위를 근절하기 어렵다고 주장한다.

반대 입장은 민사재판이 처벌의 성격을 띠는 것이 과연 타당한지, 피해자 개인이 처벌적, 사회적 비용 성격의 손해배상을 개인이 가져가도 되는지, 담당판사의 주관에 따라 액수의 차이를 가늠할 수 없다는 점 등을 우려한다.

이에 전문가들은 "이러한 변화가 긍정적인 변화를 가져올 경우 경제는 더할 나위 없이 좋은 결과를 이끌겠지만, 반대의 경우라면 그만큼 경제는 위축된다"라고 말해 사실상 처벌과 규제 위주의 법에서 유인구조 설계 위주의 법으로 바뀌어야 한다고 지적하고 있다.

반대로, 최근 참여연대 등 대기업 여러 관행에 대해 제동을 걸며 담합이나 가격인하, 상표권 등 다방면으로 징벌적 손해배상제도를 도입해야 한다고 주장하고 있어서 양측의 입장은 팽팽하다.

고 해도 어떻게 100% 손해 금액으로 입증하기가 그리 쉽겠습니까? 반면 미국은 한 번 명백한 실수가 드러나면 실제 손해의 몇 십 배, 몇

백 배를 판결하기 때문에 중소기업에 함부로 침해할 생각을 하지 못합니다."

다시 말해 우리나라는 이런 소송이 발생할 경우 직접 일대일로 소송에서 이기는 수밖에 없다. 이런 면에서 볼 때 그는 그런 면에서 상당히 운이 좋은 케이스에 속한다. 그는 KT가 잘 합의하고 양도했기에 그나마 다행이었다. 당시 심판원은 KT의 심심이 상표는 이즈메이커의 심심이와 표정이 유사하고 사용 서비스업도 유사하다며 KT가 이즈메이커의 심심이 상표를 침해한 것이 맞다고 판결하였다. 시간적, 물질적 비용을 따져볼 때 중소기업 단독으로 쉽게 할 수 있는 일이 아니었다.

그는 불과 수년밖에 지나지 않았지만 그 사이 고착화됐던 기업구조도 분위기가 많이 나아진 것이 사실이지만 애초부터 명확하고 분명하게 사업과 상표 등 권리를 확실히 말할 필요가 있다고 강조한다. 그는 이에 대한 마땅한 장치가 없는 것에 대해 거듭 아쉬워했다.

2008월 7월경부터 약 3년 반 정도 이어진 소송과 관련한 시간 속에서 최 대표의 마음고생은 이루 말할 수 없을 정도다. 그때의 심정과 회한은 홈페이지에 그대로 담겨 있다. CEO 인사말에서 그는 "미성숙한 대한민국 대기업 문화 덕분에 큰 위기를 맞기도 했지만, (중략) 난관을 극복하고 이제는 제2의 전성기를 향해 도약하고 있다"라고 밝히고 있다. 2012년 5월 심심이주식회사는 특허출원 및 등록건수 6건(해외 1건 포함), 상표 23건(해외 5건 포함) 등 각종 지식재산권(특허, 상표 등) 출원 및 등록을 마쳐 사업경쟁력 확보에 온 힘을 기울이고 있다.

청년들이여! 한 달짜리 사업을 해보라

누구나 어려운 시기를 맞으면 어느 울타리 안으로 들어가고 싶은 것이 인지상정이다. '처음부터 굳이 창업을 하지 않고 차라리 취업했다면…' 하는 일말의 후회는 없었을까? 최 대표는 직장생활을 길게 한 것은 아니었지만 병역특례로 3년 동안 일하면서 회사원으로 일하는 것이 무엇인지 익혔다. 3년이라는 짧은 시간동안 모든 것을 충분히 숙지했다고는 장담하지 않지만 남들보다 일찍 출근하고 늦게 퇴근하며 성실하게 일한 덕분에 '꽤 쓸 만하다'는 칭찬도 들을 수 있었다. 그가 더 이상의 직장생활이 필요 없게 된 이유를 그 생활이 싫었다기보다 자신이 원하는 것을 하고 싶은 열정이 더 컸다고 회상했다. 그는 창업과 취업의 중간에서 고민하는 이들에게 기회가 된다면 꼭 한 달짜리 창업을 해보라고 권한다.

"일단 사업이라는 것이 무엇인지 짧게 경험하는 차원이 더 큽니다. 좋은 아이디어를 내고 이를 제품화해 유통해서 소비자에게 직접 팔아 직접 두 손에 돈이 쥐어지기까지의 사이클을 경험해보라는 것입니다. 짜릿할 만큼 좋은 경험이 될 겁니다. 또 한 달인 이유는 그 이상하면 돈이 많이 들거든요. 그 시간만큼 많은 것을 배울 수 있을 겁니다. 장담합니다."

한편 요즘 들어 심심이가 부쩍 관심을 받으면서 사용자들은 심심이에게 이것저것 기대하기도 한다. 좀 더 똑똑한 심심이를 원한다. 가령 공부를 가르쳐주는 심심이나 날씨나 주식을 알려주는 심심이, 우리말을 잘 알려주는 선생님이다. 심심이의 활동영역은 무한하다.

"앞서 말씀드렸듯이 지식맨이 심심이의 그런 똑똑한 부분의 사용자 니즈를 반영해 태어난 애예요. 원래는 심심이에 탑재하려 했는데 아시다시피 심심이 소송과 입장 차이로 진척을 낼 수 없었어요. '심심이는 왜 똑똑하지 않지?' '말을 왜 정확하게 이해하지 못 하지?' 하는 필요성 때문에 나온 것이죠. 지식맨은 2011년까지도 저희 회사의 주요 수익원이었어요. 지식맨 서비스의 신뢰도는 지금까지 쌓인 1900만 여 개의 질문-답변 DB가 증명하고 있습니다. 지식맨 답변도 집단지성으로 이뤄집니다. 검증과 답변이 미흡할 경우 서로 견제하는 시스템이죠. 이의 제기도 합니다. 시스템 자체가 치밀하게 구성돼 있습니다."

지식맨과 함께 프리미엄 지식서비스를 제공 중인 지식로그도 있다. 지식맨 서비스에서 생산한 답변을 웹사이트에서 무료로 제공하는 개념이다. 일목요연하게 정리돼 있고 확실한 출처를 밝힌 답변만 채택돼 여타 포털처럼 장난이나 광고성 정보를 최대한 차단하고 있다. 이 서비스는 2009년부터 구글 검색 Q&A 섹션에 정보를 공급하고 있다.

최 대표는 공부를 가르쳐주는 심심이가 있으면 좋겠다는 의견이 많아 공부나 개인의 활동을 보조해준다거나 궁금증 알려주는 심심이도 생각하고 있다고 한다. 머지않아 더욱 똑똑한 심심이를 개발할 것을 약속했다.

그는 집단지성의 힘을 믿는다. 심심이 필터링 역시 아주 저속한 단어를 미연에 차단하는 최소한의 제약만 할 뿐, 나머지는 집단지성이 꾸려갈 수 있는 생태계를 조성하고 있다. 사용자가 심심이와 대화 중 엉뚱한 표현이나 아주 나쁜 단어가 나올 경우 새롭게 가르칠 수 있다. 또 사용자가 직접 그 단어 옆의 신고버튼을 눌러 2회 신고가 접수되면 자동 차단된다. 모두가 책임을 나눠 갖는 의미다. 그는 앞으로 더욱

심심이주식회사의 전 직원

건전하고 합리적으로 판단하는 사람에게 좀 더 사용자 권한을 주는 방안을 모색 중이라고 말해 더욱 착하고 똑똑한 심심이를 기대하게 했다. 그렇다면 그는 왜 '심심이'라는 이름으로 시작한 것이었을까?

"제가 어렸을 적에 '심심하다'는 말을 자주 썼어요. 엄마한테만 그랬죠. 그 말을 하면 엄마가 그때마다 늘 맛있는 것을 만들어주셨거든요. 그래서 전 한참을 '심심하다 = 간식 먹고 싶다'는 뜻으로 이해했어요. 어느 날 초등학교를 입학해 4~5학년 즈음이었나? 그때서야 그 뜻을 제대로 알았어요. 아마 옛 추억이 있는 단어가 문득 떠올라서 '심심이'로 지었던 게 아니었나 싶어요."

사업 드라이브 제대로

2011년까지 이즈메이커라는 사명을 유지했던 최정회 대표는 2012년 심심이주식회사로 변경했다. 심심이 브랜드 육성에 피치를 올리기 위해서다. 먼저 현재 제공하고 있는 다양한 브랜드의 서비스를 심심이 브랜드로 통합 추진 중이다. 먼저 심심이와 지식로그, 지식맨을 '심심이'라는 단일 브랜드로 통합하는 작업에 착수했다. 또 '심심이 스마트 Q&A' '심심이 어록' 등을 소셜플랫폼으로 확대해 자체 브랜드 이미지를 강화하고 바이럴 마케팅을 영역을 확보하기로 했다. 해외 서비스도 예외는 아니다. 2012년 현재 일본, 인도네시아 등지에서 서비스하고 있는 부분은 모두 폐쇄 후 simsimi.com으로 일원화하기로 했다.

캐릭터 사업도 다시 드라이브를 걸었다. 캐릭터 사업을 전문으로 하는 자회사 심심이 Ent를 설립해 이 회사에서 브랜드 스토리를 처음부터 다진 후 OSMU 전략을 강화하기로 했다. 심심이 브랜드 스토리를 처음부터 다시 다지고, 유아용 심심이 앱을 출시해 해외 서비스 공략에 박차를 가할 계획이다. 교육 분야 시장을 위해 한국어 학습용 심심이 앱과 교육용 다국어 심심이 앱 개발에 착수했다.

최 대표는 나아가 심심이의 음성인식과 합성, 자연어처리, 하물며 문맥이해 기술 연구에 더 많은 자본과 시간을 투입할 예정이다. 모든 것이 하나의 심심이 브랜드를 통해 통합 서비스로 구축, 글로벌한 단일 서비스 제공을 위함이다.

"2012년은 모든 서비스를 '심심이'로 통합 관리할 계획입니다. 또 심심이를 에이전트화해서 모든 서비스의 창구가 되도록 할 방침입니다. 무엇보다 서비스 통합으로 치밀하게 관리할 필요성이 있다는 판단이었

습니다. 콘텐츠 SEO Search engine optimization(검색 엔진 최적화)를 강화
해 모든 서비스 기획 초기 고려사항으로 염두에 둘 생각입니다. 이는
지식서비스 트래픽 증대와 혁신을 위해서 반드시 진행해야 할 사안이
고요, 채팅봇 가르치기 기능을 확장하고, 관련 API를 공개해 유료서비
스에 박차를 가할 것입니다."

최 대표는 심심이 통합관리 계획을 위해 2011년부터 조직관리에
대대적인 투사를 아끼지 않았다. 2011년 6월에는 처음 직원평가표를
확정해 직원들과 공유했다. 직원평가와 관련해서도 HR 전문업체를
통해 코칭을 받아 한 치의 오차도 없도록 하고 있다. 이유는 하나다.
회사 규모가 커지다 보면 객관적인 성과지표를 위한 지침이 필요하기
때문이다. 반드시 큰 회사가 성과지표 등 직원평가표를 시행하는 것
이 아닌, 이런 시스템을 탄탄히 잘 구축해놓은 회사가 이 기반을 통해
목표를 갖고 성장할 수 있다는 믿음이 있다. 소송 이후로 회사 근간을
좀 더 탄탄히 마련해야 할 필요성도 또 다른 이유가 된다. 작은 회사
라고 해서 주먹구구식으로 해서는 안 된다는 각오다.
  그는 이러한 인사관리제도를 통해 직원 개개인이 정말 스스로 발전
하려고 노력하는 사람인지를 파악해 인사고과 및 연봉고과에 반영할
생각이다. 그 직원이 회사 발전에 이바지한 만큼 성과를 보상해주는
것은 당연한 일이다. 대신 사리사욕을 위해 회사를 이용하는 사람에
대해서는 그만큼 엄정하게 다스리고 있다. 아무리 능력이 출중하다
하더라도 직원평가에 대해서는 그 누구도 예외는 없다.

"사실 그 전에는 친분으로 엮인 느낌이 더 강했습니다. 누군가의 뜻에
  따라 자신의 운명이 바뀌는 듯한 것이죠. 공적인 업무에 앞서 사적인

느낌이 앞서는 안 되겠죠. 지금은 스스로 충분한 동기부여가 되고, 명확한 실적을 보상하니 가시적인 성과로 조금씩 이어지고 있습니다."

그는 경영도 CEO의 직관이 아닌, 과학적인 잣대를 서서히 들이대고 있다. 안철수 교수도 과학적인 면 없이 CEO의 직관에만 의존하다 보면 실패율이 높다고 경고한다. 경영도 기술과 마찬가지로 과학을 근간으로 하며, 과학으로 해결할 수 없는 부분부터는 예술의 영역에 속한다고 소신을 밝히고 있다. 그는 한번 시행하는 것은 어떻게든 성과로 이어지도록 하고, 늘 학습하는 습관이 있다.

하지만 이 모든 것이 성과로 이어지게 하는 방침일 뿐, 직원들을 옭아맬 생각은 없다. 철저하게 비효율적인 면을 걷어내기로 했다. 이에 먼저 도마에 오른 것이 흔히 '9 to 6', 즉 9시 출근 6시 퇴근제다. 모두 9시 출근하고 6시 퇴근하길 바라지만, 6시 칼퇴근은 쉽지 않을 뿐더러, 창의적인 업무가 더 우선시되는 시점에서 고정적인 출퇴근제는 크게 도움이 되지 않는다는 판단에서다. 그는 파격적으로 '자율 출퇴근제'를 실시했다. 자율 속에서 결과를 낼 수 있는 기업문화를 지향하고 있다.

"창의적인 업무의 성과와 정시 출퇴근제는 별 상관이 없어 보여요. 특히 저희 회사가 외주를 하는 것도 아니고, 박리다매의 제조업도 아니라서요. 그러다 보니 서서히 생각이 바뀌었습니다. 직원 창의성을 살리는 분위를 높이고, 동기부여만 잘 해줄 수 있다면 충분히 가능성이 있다고 봤습니다."

최 대표는 처음 법인을 세우고 나서부터 지금까지 SI 업무를 하지 않는다. 가장 어려웠던 2009년에도 주력사업에만 매진했을 뿐, 용역을 맡지 않았다. 그것만큼은 절대 불가 정책이다. 하청과 영업도 하지 않는다. 홈페이지에 "심심이주식회사는 스스로 개발하고 운영하는 독창적인 B2C 서비스만으로 수익을 창출한다"라고 내건 이유도 바로 이런 연유 때문이다.

늘 변화무쌍한 시장에서 수익을 창출할 수 있는 B2C 서비스는 '근무'가 아닌 꾸준한 학습, 관찰, 소통, 계획, 시행착오를 통해 구현된다고 믿기 때문이다. 어쩌면 타 회사들이 이 회사를 볼 때 실제 근무시간이 매우 짧고 여러모로 부러울 수도 있는 정책이지만, 그 안에는 11명의 임직원 스스로가 능동적으로 하루 24시간에 걸쳐 끊임없이 '학습-관찰-소통-계획-시행착오' 과정을 반복하고 있는 건 아닐까? 그들은 자신의 목표가 곧 회사의 목표가 되는 과정을 맛보고 있다. 최 대표는 '직원 스스로 클 수 있는 환경, 내재된 잠재력을 끌어 올리고, 크리에이티브한 영감을 끌어낼 수 있는 것, 그것이 바로 내가 해야 할 몫'이라고 강조했다.

'상생'보다 '윈윈'할 수 있는 비즈니스 모델 추구

소위 '가치와 관계를 키워 지성의 놀이터를 창조하는 글로벌 커뮤니티 기업'을 표방하는 최정회 대표의 꿈은 크다. 2015년을 기점으로 매출 1000억 원, 글로벌 기업 톱 10 진입을 목표로 두고 있다. '하면 된다'는 식이다.

2009년을 제외하고는 매년 흑자를 기록했다. 2010년에는 10억 원 (지식로그 7억 원, 심심이 3억 원), 2011년에는 12억 원의 매출(지식로그 8억 원, 심심이 5억 원)을 기록했다. 이제는 기존 수익원을 연착륙시키면서 성장사업 매출을 10억 원 이상 만들 방침이다. 2012년은 15억, 2013년 30억 원, 2014년 150억 원이 목표다. 2012~2013년은 사업전환기로, 2014~2015년을 성장기로 정했다. 염려했던 모든 일이 마무리된 시점에서, 벤처캐피털이나 대기업의 인수나 합병제의는 없었을까?

"물론 제의나 투자문의는 있어요. 하지만 그런 제의가 들어왔을 때는 구체적으로 어떤 의미인지도 잘 파악할 수도 없었어요. 일단 지금은 우리 직원 모두 먹고사는 데 아무 문제가 없어서 크게 고려하고 있지 않아요. 또 당장 돈을 많이 투자해야 하는 계획도 없고요. 기존 것을 더욱 탄탄하게 다지는 게 우선이거든요. 현재 매출을 기존 사업에 다시 투자해도 유지할 수 있는 정도는 됩니다. 신규사업을 벌이거나 직원을 더 뽑지 않는 이상 큰 돈 들일 일이 없죠."

누구든 글로벌 시장 도래로 직접 접근이 가능하다. 누구보다 최 대표는 요즘 대두되고 있는 글로벌 오픈마켓에 대해 두 팔 벌려 반긴다. 그가 생각하는 글로벌 오픈마켓은 어떠한 모습일까? 그는 '내가 겪은 일을 누구도 다시 겪지 않아도 되는 것'이라고 요약했다. 거창한 이유는 없다. 시장이 합리적이야 한다는 뜻이다.

"'상생'이라는 단어는 호의적인 느낌마저 들게 합니다. 저는 '상생'보다 '윈윈' 게임이 더 와 닿아요. 여차하면 빼앗고 빼앗기고 서로 합심해 목표를 이루는 동안 '어떻게 하면 저 기술을 빼앗아오지?' 하는 생각은 서로 발전에 저해만 됩니다. 시장독식도 좋지 않아요. 그런 생각은 낭

비이기도 하고요. 스마트폰 오픈 마켓의 장점은 이해당사자 간의 조율만 있으면 되고, 부딪힐 일이 없다는 것이 장점입니다. 깨끗하죠. 좋으면 하고, 아니면 말고. 지금은 많이 나아졌지만 상대에게 모멸감을 주는 비즈니스는 정말 안타까워요."

심심이가 메신저를 지나 SMS로 서비스하는 동안에는 대화와 정보 제공을 하나의 플랫폼에서 서비스했으나, 그동안 플랫폼 환경이 이 두 가지를 모두 제공하기에는 기술이나 시장접근성 등 한계가 많았다. 그래서 심심이주식회사에서는 인공지능 대화 게임로봇과 지식서비스를 분리한 독자적인 서비스와 기술력을 각각 키워왔다. 그 사이 스마트폰 환경 패러다임 변화 덕분에 이를 다시 통합할 수 있는 기술과 환경이 조성됐다. 그리고 늘 현대인의 손에는 스마트폰이 떨어지지 않는다는 것을 다시 한 번 확인했다. 이를 토대로 현재는 인공지능 로봇인 심심이를 지식서비스와 통합하면서 '심심이는 삶의 동반자'라는 반려서비스 콘셉트로 시장에 안착하고 있다.

앞서 잠시 언급한 대로 카카오는 카카오톡에 심심이, 지식로그 등 대화형 플러스친구를 시범적으로 서비스를 내놓았다. 2분기 안으로 오픈 API를 통해 수익다각화를 꾀할 예정이다. 대화형 플러스 친구는 베타서비스이며, 안드로이드 이용자에 한해 심심이를 플러스친구로 등록, 대화를 나눌 수 있다. 이것이 최 대표가 생각하고 있는 윈윈 모델이다. 심심이 입장에서는 사용자 기반이 많은 카카오를 통해 국내시장 홍보 차원에서 필요했던 제휴였다.

어쩌면 지난 모든 시간이 최 대표에게는 일종의 성장통이 아니었을까? 그는 되도록 절차를 줄이고 방법을 찾았다. 대안을 제시하고 동기부여에 힘썼다. 직원역량평가표를 통해 회사가 성장한 만큼 회사 역시 직원 개개인의 성장에 관심을 갖는 토대를 마련했다. 그의 말마따나 심심이주식회사는 '제품'이 아닌 '서비스'를 제공하는 곳이기 때문이다.

"제가 늘 후배들에게 하고 싶은 말도 한번 경험해보라는 것이에요. 부담 없는 비용으로나마 사업의 사이클을 한 바퀴 경험해보면 사업의 자신감은 물론 좋은 아이디어도 낼 수 있죠. 제가 모시이불을 팔다가 심심이를 얻은 것처럼 말이죠. 전 우연하게 운명처럼 다가온 이 녀석과 늘 함께할 겁니다."

6

전 세계 어린이를 향한
아버지의 마음으로
옆집아이

퍼블스튜디오 이해원 대표

이해원 대표
한국외국어대학교 영어학과를 졸업했다. 독립영화 감독 당시 〈더 히어로〉로 재외동포영화
제 상영작으로 선정됐다. 독일 국제 도서전 한국대표로 참가했으며, 전자출판협회 혁신상을
수상했다. 서울대 벤처모임인 'V포럼' 운영자로 활동하고 있다.

왜 퍼블스튜디오의 앱북인가?

갈수록 스마트러닝을 위한 스마트 디바이스 활용성이 강조되고 있다. 우리 교육시장에서는 콘텐츠와 스마트 디바이스를 효과적으로 융합하기 위한 다양한 시도를 진행 중이다. 이에 멀티미디어와 상호작용이 가능한 앱북 형태의 아동용 전자책은 기존 인터넷 강좌나 전자책과는 한 차원 다른 트렌드를 제시한다.

전문가들은 앱북의 시장성이 날로 커질 것으로 예측한다. 여느 전문가라면 익히 알고 있지만 전자책과는 비교할 수 없을 정도로 제작비가 많이 투입된다는 것을 우려하고 있는 상황이다. 때문에 아직 국내 앱북 시장은 굴지의 출판사나 대기업에서만 여러 차례 시도하는 형국이다. 아직까지는 스타트업이나 중소기업이 과도한 제작비의 지출 우려로 쉽게 접근하기 어려운 시장임에는 틀림없다. 대기업에서 시도하는 영역도 대부분 아동 분야보다는 학습 분야에 국한되어 있는 것도 현재의 앱북의 실정이라고 보면 된다.

이처럼 이해원 대표는 가능성이 무한하지만 그만큼 제작비용이 많이 드는 시장에 과감히 뛰어들었다. 충분히 감당하며 한발 한발 잘해내고 있는 그는 막대한 제작비를 기술력과 인맥으로 뚫었다. 이것이 첫 번째 관문이었다. 두 번째 관문은 연이어 앱북이 출시될 수 있는지, 세 번째 관문은 SI 업무를 줄이고 앱북을 본 궤도에 사업을 올릴 수 있는지, 그렇다면 그 시점은 언제인가 하는 점이다.

두 번째 관문은 이미 돌파 중이고, 세 번째 관문은 자신감을 내비친다. 이미 대기업과의 사업 파트너도 맺었고, 해외시장 공략에 박차를 가했다. 앞서 사업실패로 맛 본 것이 오히려 약이 됐다. 그랬기에 좀 더 탄탄하게 입지를 다져 도전하고 있다. 어쩌면 그가 보여주고 있는 지금의 모습은 뒤이은 스타트업의 또 다른 사례를 보여주기에 충분하지 않을까?

그는 두 가지 중요한 메시지를 던진다. 먼저 "하기 전에 미리 걱정부터 할 필요는 없다" 그리고 "하더라도 제대로 하자"라는 것이다.

까짓것, 실패 몇 번 했다고 기죽지 않는다

"지난 시간은 값진 경험이었을 뿐입니다. 실패라고 생각하지 않아요. 남들이 뭐라고 하든 제대로 인정받고 끝까지 버텨 최고가 될 겁니다."

2012년 2월 29일, 한 학교에서 졸업식이 있었다. 어머니는 아들의 손을 잡고 성공했다고 교만하지 말고, 어려운 사람 업신여기지 말고, 이왕 고생하며 시작했으니 누구보다 성공하라며 당부하기를 여러 번이다. 아들은 그런 어머니를 오히려 다독이며 앞으로 효도할 일만 남았다고 마음을 몇 번이나 다짐하는 듬직한 모습을 보인다.

그런 그에게 '성공'해야 하는 이유는 가족에게 '희망'을 선물하기 위해서다. 어린 시절, 아버지의 사업 부도로 어려운 생활을 이어왔던 그에게 물론 창업이 쉬운 길은 아니었다. 퍼블스튜디오 창업 직전까지도 쓰디쓴 사업실패를 맛봤기 때문에 더욱 그러했다. 사업의 어려움을 누구보다도 잘 아는 어머니는 아들까지 힘든 길을 걸을까 노심초사했다. 그 길이 충분히 외롭고 고된 길임을 알기에 그의 어머니역시 처음에는 창업을 반대했다.

아직까지 성공을 입에 올리기에는 이른 감도 있지만, 그는 보란 듯이 매번 다시 일어섰고 '희망'을 이야기한다. '희망'은 성공에 이르기

전 반드시 거쳐야 하는 관문이다. 때로는 힘들어도 절대 내색할 수 없었다. 그는 묵묵히 일했고, 성공을 향한 밭을 일궜다. 그런 습관이 어려울 때마다 번번이 일어설 수 있는 오뚝이가 될 수 있는 원동력이 되었다. 희망, 그것은 이미 이 대표에게 관성의 법칙인 것이다.

이해원 대표는 중소기업진흥공단과 중소기업청이 "기본기를 제대로 갖춘 도전의식과 창의정신이 넘치는 청년 CEO를 길러낸다"라는 목표로 2011년 3월 경기도 안산시에 개교한 '청년창업사관학교'를 졸업했다. 1기 졸업생인 셈이다. 그만큼 학교나 주위에서도 그를 비롯한 그 기수의 일거수일투족은 큰 관심사였다.

한 매체는 이후 이해원 대표를 비롯한 1기 졸업생들의 성공을 기원하는 칼럼을 보도했다. 새로운 도전과 기업가 정신이 대한민국 미래 성장을 이끌 원동력이며, 우리나라 경제에 새로운 활력소를 불어넣을 촉매제가 바로 '스타트업'이지만, 사랑하는 어머니와 가족, 그리고 자신을 위해 그들이 반드시 성공해야 한다는 내용이었다(전자신문, 2012년 3월 7일).

그는 사관학교 입학 한 달여 만에 콘텐츠 개발사인 퍼블스튜디오를 창업했다. 퍼블스튜디오는 동화책을 스마트폰과 태블릿 PC를 통해 직접 보고, 듣고, 느낄 수 있는 인터랙티브 앱북 콘텐츠 개발사로 2012년 매출 목표만 10억 원, 2013년에는 80억 원이다. 2012년 1월에는 2억 4천만 원 상당의 콘텐츠 개발 계약에 성공하기도 했다.

그가 사관학교를 통해 얻은 창업에 관한 커리큘럼을 하나하나 되짚으며 돌다리도 두들겨 보며 건너는 심정으로 매사에 꼼꼼하게 임하는 이유가 있다. 그는 아무리 작은 규모의 창업이라도 분명한 '사업'이라고 강조한다. 어떻게 사업을 하며 작은 하나라도 소홀히 할 수 있겠냐며 오히려 반문하는 그다.

2009년 그는 야심 차게 시스템통합 개발업체를 창업했다. 하지만 경험부족을 드러내며 6개월 만에 문을 닫은 뼈아픈 경험을 했다. 그 과정에서 얻은 깨달음은 비싼 수업료를 통해 받은 값진 경험이었다. 그는 창업사관학교를 찾은 것이 큰 기회이자 행운이었다며 이 분야의 멘토나 창업에 관한 A부터 Z까지 자세히 배울 만한 자리가 우선 필요했다고 말한다.

"막상 배워보니 제가 그동안 얼마나 무모하게 시작했는지를 여실히 느낄 수 있었어요. 시작이 중요한 만큼 챙겨야 할 것도 많다는 것을 충분히 깨달았습니다."

이 대표가 창업사관학교를 통해 다양한 과정을 배우면서 느낀 것은 허투루 보낼 것이 하나도 없다는 것이다. 누구나 호기 있게 창업 아이템을 선정하고 첫 발을 내딛지만 준비와 시장조사, 여러 제반사항을 꼼꼼히 체크하지 않으면 갈수록 자신감이 떨어지기 마련이다. 창업자 상당수가 토로하는 고민 중 가장 다수를 차지하는 것이 꿈과 이상을 현실화하지 못한 점과 경험 부족, 세무나 회계 미숙 등을 꼽는다. 전문가들은 수익구조와 아이템은 좋지만 수익성이 없다면 한 번쯤 여러 가지로 점검해봐야 할 문제라고 지적한다.

정부나 민간단체에서는 청년창업을 권한다. 이와 관련한 지원이나 기회의 장을 많이 마련한다. 청년창업이 중요한 이유는 갈수록 청년 일자리가 줄어드는 상황에서 일자리 창출은 물론, 이것이 국가의 성장동력이 될 수 있기 때문이다. 하지만 사회에 각인돼 있는 '실패'에 대한 두려움과 자칫 주홍글씨처럼 따라다닐 수 있는 신용불량의 불안감이 이를 좀먹는 것도 현실이다. 우리 사회의 단 한 번의 실패를 용

이해원 대표는 청년사관학교 졸업 이후 다양한 경로를 통해 청년창업자들이 겪을 수 있는 문제점 해결에 대해 몸소 나서고 있다.

납하지 않는 분위기도 청년창업을 방해하는 요소다. 실력 있는 청년들은 갈수록 대기업이나 공무원을 안정적으로 여기며 청년창업을 두려워하게 된다. 이것은 추후 국가 미래에도 도움이 되지 않는다.

　최근 창업기업 수는 크게 늘어났지만 이 중 청년창업의 비중은 48%에서 18%로 오히려 2011년에 비해 크게 줄었다. 반대로 퇴직자들의 창업이 갈수록 늘고 있다. 답답한 기업 시스템과 실적 스트레스로 퇴사하는 경향과 함께 자신의 브랜드 자산을 키우고 평생 일할 수 있는 직업을 선호하기 때문이다. 또한 시대가 변화하는 것을 직장생활을 하며 직접 체험한 세대이고, 40대 이후 사회에 만연해 있는 고용 불안도 퇴직자들의 창업비율을 높이는 데 일조하고 있다. 또한 창업하는 과정에서 예산과 인력, 경영에 대한 지식과 노하우, 멘토링 시스템도 챙겨야 할 부분인데 이미 사회생활을 통해 충분히 숙지한 퇴직

창업자들이야말로 보다 익숙한 입지에 있는 것이 사실이다.

어찌됐든 그는 올곧게 또 한 번 창업의 길을 걸었다. 창업창업사관학교에서 배운 것을 바탕으로 회사 기틀을 단단히 다져 기술 기반 콘텐츠 개발 기업으로서의 역량을 높이고 있다. 이 대표는 사관학교 문을 두드린 지 1년 만에 직원 7명과 함께 하는 어엿한 CEO로서 첫발을 뗐다. 제대로 된 승부수를 띄울 각오다. 모든 것을 갖추었으니 동남풍만 불면 된다.

차라리 내 사업을 하리라

그가 입소했던 청년창업사관학교는 시작부터 업계와 대중에 이슈였다. 말 그대로 '사관학교'답게 체계적인 교육과정과 이에 대한 체계적 지원으로 기술창업청년 CEO와 경영후계자를 길러낸다는 취지 때문이었다. 업계에 처음 발을 내딛은 청년 CEO의 경우 멘토링 부재와 경험미숙을 가장 큰 어려움으로 꼽는다. 사관학교는 이러한 부분을 메우기 위해 전담교수제와 창업절차, 기술개발, 시제품 제작, 시험생산, 판로개척 등의 지원을 통해 창업성공률을 높이는 데 주력한다. 총 사업비의 70%, 연간 최대 1억 원 이내의 창업자금을 지원한다.

청년창업사관학교에 6대 1의 경쟁률과 깐깐한 심사를 뚫고 입소한 것에 이어 그에게 행운이 또 따랐다. 졸업 당일 대통령을 비롯한 정부 관계자가 참석한 자리에서 졸업생이 창업한 50여 개 프로젝트 중 이 대표의 퍼블스튜디오가 15개의 우수기업 중 한 곳으로 선정돼 1억 원의 추가 예산 지원을 받게 된 것이다.

그는 후배들에게 무엇보다 꾸준한 아이템의 연구와 고민이 필요하다고 강조한다. 또 아이디어를 현실로 만들기 위해 반드시 필요한 마케팅이나 프레젠테이션 실력, 회계 등 회사경영에 대한 전반적인 사항의 숙지도 빼놓지 말아야 할 것이라고 조언한다.

그가 사관학교에 입소하게 된 것은 생각지도 못했던 행운이었다. 기존에 알고 있던 예비기술창업지원금을 신청하러 관련센터를 찾았을 때 '대학생에 한한다'라는 기준이 새로 마련되어 실망하던 터에 우연히 제1회 청년창업사관학교 창업시스템을 알게 됐다. 마침 준비해온 서류를 고스란히 사관학교에 제출했고, 치열한 면접 끝에 입교에 성공했다. 창업에 대한 A부터 Z까지의 커리큘럼을 배울 수 있다는 기대에 부풀었다. 그는 앞서 창업했던 시스템통합 개발업체 비앤디인터내셔널을 운영하며 6개월 만에 문을 닫아야만 했을 때를 회상했다. 앱을 의뢰받아 개발해 납품하는 일이 주였는데, 갈수록 떨어지는 단가와 짧아져가는 납기일, 의도하지 않았던 근무여건 악화로 접을 수밖에 없었다. 큰돈이 되지도 않았을 뿐더러 바쁘기만 했다.

그는 다시는 이렇게 시작하지 말자고 생각했다. 제대로 된 창업과정을 통해 기업다운 기업을 운영해보고자 마음을 다잡았다. 그때부터 함께 했던 이가 바로 퍼블스튜디오의 CTO로 있는 심보광 팀장이었다. 퍼블스튜디오를 창업 후, 거의 하루 대부분 라면으로 끼니를 때우는 상황에서도 그는 세 딸을 생각하면서 버텼다. 하고 싶은 일을 할 수 있었기 때문에 즐거웠다. 하지만 그 상황도 녹록치 않았다. 차라리 보란 듯이 취업을 해버리면 어땠을까?

"집에서는 취업을 하길 바라지만 제겐 그다지 미래가 보이지 않았어요. 취업을 해도 늘 하루하루 쪼들리며 힘들게 살아야 한다는 느낌이 강했어요. 그러기보다는 내 사업을 하자는 생각이었죠."

창업을 하는 사람들은 적어도 한번쯤은 '내 인생을 살 것인가, 남의 인생을 살 것인가'에 대한 고민을 진지하게 해볼 것이다. 그는 외주를 받아 앱을 개발하는 상황에서 남의 아이디어로 일하다 보니 금세 한계를 느꼈다. 어느 날 직접 떠올린 콘텐츠와 아이디어를 개발하고 싶다는 생각이 번쩍 들었다. 물론 사업을 하다 보면 쉽게 풀리지 않을 때도, 기대 이상으로 성과가 날 때도 분명 있다. 중요한 점은 자신이 하고 싶은 일을 한다는 것은 더러 어려운 상황에 봉착하더라도 그 어려움을 비교적 쉽게 극복할 수 있는 원동력이 된다는 사실이다. 또 창업해서 좋은 성과를 낼 경우 노력한 만큼 충분한 보상을 받을 수 있다는 것도 충분한 동기부여가 된다.

사관학교에 덜컥 입소했지만 그렇다고 가장으로서의 책임을 마다할 순 없었다. 사관학교에 입소하고 나서도 매주 토, 일요일이 되면 안산에서 수원까지 4개월여 동안 컴퓨터 강사생활을 이어갔다. 그것도 아침 9시부터 밤 11시까지 한 시간도 쉼 없이 일했다. 당시는 이런 사실을 몇 사람만 알던 터였다.

그가 사관학교에 있는 동안 가장 특별했던 것은 다른 창업자들을 보면서 매번 느꼈던 자극이었다. 사업 아이템도 아이템이지만 그들에게서 볼 수 있었던 열정과 성실, 개발, 노력 등은 두고두고 잊지 못할 짜릿한 경험이었다. 능동적인 자세와 적극적인 계획 없이는 사관학교 1년을 견디는 일조차 결코 만만치 않다. 이 대표는 "뭐든 시작할 때는 인생을 걸고 하려는 자세가 필요하다"라며 긍정적이고 적극적인 태도를 강조했다.

샘플 앱북 만들었지만…

실리콘밸리 유명 벤처 인큐베이터 와이컴비네이터Y Combinator의 창립자인 폴 그레이엄Paul Graham은 2005년 3월, 자신의 에세이를 통해 성공적인 스타트업을 만들기 위한 조건 세 가지를 언급했다.

첫째, 좋은 사람들과 시작하는 것, 둘째, 고객이 정말로 원하는 것을 만드는 것, 셋째, 돈은 최대한 적게 쓰는 것이다. 그는 이 세 가지를 꼽으면서 세 가지를 모두 해내는 스타트업은 성공할 것이라고 운을 뗐다. 그러면서 그는 대부분의 스타트업이 중요한 것으로 꼽고 있는 '아이디어'에 대해 자신의 의견을 소신 있게 피력했는데, 스타트업 시작에 앞서 기막힌 아이디어가 반드시 필요한 것은 아니라는 취지의 발언을 남겼다. 그는 비교적 단순했던 구글의 계획을 예로 들며 스타트업이 돈을 버는 방법은 사람들에게 지금보다 더 나은 기술을 제공하는 것이라고 했다. 현재 가진 기술이 꽤 나쁜 경우가 많기에 그것보다 더 잘 하기 위한 기막힌 아이디어는 굳이 필요치 않다. 아이디어의 가치는 좋은 출발점을 제시한다는 것에 의미를 둘 뿐이라고 덧붙였다.

이해원 대표도 무조건 뛰어난 기술과 첨단 아이디어로 시장에 승부수를 띄울 생각은 없다. 단지, 고객에게 감성을 제공할 수 있는 인터랙티브 구현을 통해 오감으로 느낄 수 있는 기회를 제공할 뿐이다. 그는 가족 모두가 참여하고 함께 읽고 만지며 소통할 수 있는 세계적인 콘텐츠 개발이 꿈이다. 획일화된 전자책이 아닌 직접 느낄 수 있는 앱북을 만들겠다는 아이디어는 그에게 좋은 출발점이 됐다.

그는 사업에서 어머니가 졸업식 때 말씀한 대로 '자만심'을 경계한다. 덧붙여 매사에 초기모드를 잊지 않는다. 회사가 이제 막 1년이 지난 시점에서 내부적으로 정비할 것도, 월月과 연年 단위의 계획도 틈틈이 점검한다. 투자를 받기 위해 보폭과 성과가 느슨하지 않도록 꼼꼼히 살피는 데만 해도 여념이 없다. 때문에 최근 계속되는 언론의 관심에 마음이 잠시라도 흐트러질 새라 조심한다.

그는 한 번씩 처음 '옆집아이' 제작을 끝낸 후 투자를 받으러 뛰어다녔던 기억을 떠올린다. 어렵사리 만든 샘플을 들고 국내 내로라하는 대형 출판사와 투자사 등 무려 40여 곳을 돌아다녔지만 결과는 '퇴짜'였다. 옆집아이 애니메이션을 보고는 '무섭다', 글을 보고는 '너무 길다', 하물며 스토리도 '재미없다'는 식이었다. 하지만 일부 출판사의 경우는 의외의 반응을 보이기도 했다. 국내 유명 D 출판사의 경우 "정말 이렇게 만드냐"라며 관심을 갖기도 했다. 하지만 그는 마지막 길목에서 고배를 마셨다. 아무런 실적이 없었던 것이 걸림돌이 됐던 것이다. 좋은 콘텐츠 기술을 갖고도 번번이 퇴짜를 맞았기 때문에 더욱 독해질 수밖에 없었다.

"사실, 저도 눈앞에 아주 멋있는 기술이 구현돼도 연혁과 인원, 포트폴리오 실적을 무시할 순 없었을 거예요. 분명 또 기회가 있을 것이라고 믿고 있습니다."

사실 그도 처음부터 투자가 쉽지 않을 것이라는 예상은 했다. 하지만 현실은 그가 생각했던 것보다 더 냉혹했다. 그는 지금도 두산동아, 교원, 대원, 대교, 웅진 등 교육관련 유명 출판사와 꾸준히 접촉하고 있다.

그는 혹시나 하는 마음에 앱스토어에서 앱북 수백 편을 내려받았다. 다른 곳에서는 얼마나 잘 하는지 알아볼 요량이었다. 시장조사를 할 겸, 다른 앱북을 벤치마킹할 겸이었지만 마음 한편으로는 가족에게 미안한 마음이 컸다. 당시 수익 한 푼 생기지 않는 상황에서 앱북 내려받는 비용으로 무려 100만 원이라는 금액을 썼다. 하지만 그렇게 라도 해야 다른 앱북과의 차별화는 물론, 앞으로의 제작 방향을 가늠 할 수 있을 것이라 확신했다.

그도 대형 출판사와 투자사에 할 말은 있다. 애니메이션이 무섭다 고 느끼는 것은 어른들의 시각이지 손으로 누르고 반응하는 콘텐츠를 보는 아이의 시선으로는 전혀 그렇지 않기 때문이다. '다소 길다'고 혹평을 들었던 글 역시 해외에서는 그렇지 않은 점을 들었다. 국내에 서는 글이 조금이라도 길다 싶으면 싫어한다. 그는 옆집아이를 쓰는 동안 그러한 고정관념을 깨고 싶었던 생각이 강했다.

자신이 하고 싶은 일로 성공하기 위해 여러 번 도전했다는 사실은 충분히 박수를 받아 마땅하다. 시도조차 생각에만 머물러 있는 이, 늘 아쉬운 소리만 하는 이도 우리 주위에는 많지 않은가?

직접 시나리오를 쓰다

에버노트 CEO인 필 리빈Phil Libin은 2011년 10월 스탠포드 대학교 강 연에서 "예전 같으면 자신의 에너지 70%를 제품의 유통, 사업개발, 전략적 제휴, 마케팅, PR에 쏟았다면 이제는 90%를 제품에 집중할 수 있다, 앱스토어에 올리면 끝"이라고 말한 바 있다.

그의 말처럼 스마트폰 앱 생태계 조성 이전에는 모바일 소프트웨어 개발은 물론 업데이트 역시 다른 곳의 소프트웨어 유통업체와 논의하 는 번거로운 절차를 거쳤지만, 스마트폰이 등장하고 자체 마켓이 형 성되면서 지금은 그 단계가 거의 줄어든 상태다. 그 여백을 제품 개발에 온전히 쏟을 수 있는 환경이 조성됐다. 소비자와 개발자가 직접 소통하며 광고와 홍보 역시 SNS 덕분에 훨씬 쉬워졌기 때문이다. 좋은 제품을 만들면 소비자들이 스스로 그 제품을 블로그나 SNS를 통해 지인이나 네티즌에게 홍보하고 알린다. 댓글과 리트윗을 통해 상품의 세세한 평이 곁들여지면서 자세한 평을 공유한다. 제2, 제3의 마케팅 효과를 불러일으키는 것이다.

마침 2011년 말 인터넷에는 한 블로거의 글이 올라왔다. 학부모로 유추되는 그 블로거는 하루도 쉬지 않고 태블릿 PC에 눈을 떼지 않는 아이들을 위해 무심코 옆집아이 앱북을 내려받았다. 그는 옆집아이를 "손으로 만지면 반응하고, 소리와 그림의 구현을 통해 보고 들을 수 있는 감성 인터랙티브 앱북"이라고 소개했다. 이 글에는 많은 댓글과 함께 저마다 의견을 주고받으며 공유하고 있었다. 그 블로거가 소개한 내용은 저마다 입소문을 타며 또 하나의 SNS 마케팅이 되고 있다. 소비자는 집에서 언제든 편하게 자리 깔고 앉아 앱스토어에서 내려받으면 그뿐이다.

이 대표는 블로거들이 평한 '감성 인터랙티브 앱북'이라는 평에 대해 "이것이 사실이라면 우리가 원래 생각했던 대로 평가받는 것"이라고 말했다. 그러면 여기서 잠시 옆집아이가 어떤 기술기반의 앱북인지 한번 살펴보자.

제작 6개월 만에 출시된 앱북 옆집아이는 이해원 대표가 직접 시나리오를 썼다. 앱스토어에 올린 후 얼마 되지 않아 교육 카테고리 1위에 올랐다. 인지도도 없었고 제대로 된 홍보도 없었지만 1위에 오른 것은 분명 그가 항상 강조하고 있는 '콘텐츠' 경쟁력이 고객에게 인정받았다는 방증이다. 행운은 계속됐다. 전자출판협회가 주관하는 디지털네트워크 대회에서 혁신상도 수상하고, 이러한 성과가 세간에 알려지면서 대기업과 사업적 제휴를 밟아가는 단계까지 진행됐다. 그는 퍼블스튜디오가 콘텐츠 제작 회사가 아닌, 자체 콘텐츠와 플랫폼을 갖출 수 있도록 기반을 다질 것이라는 계획도 밝혔다. 앞서 출시했던 앱북 두 개가 알게 모르게 사라졌기에 그의 기쁨은 몇 배에 달했다. 하지만 달디 단 열매라고 눈 비 없이 한 번에 수확할 수 없을 터, 그의 마음은 농부의 마음과도 같다.

이 대표는 마침내 1위에 올랐을 때는 정말로 믿기지 않았다고 한다. 직원들과도 서로 믿기지 않아했고 신기해했다. 그는 무엇 때문에 스토리를 직접 쓸 생각을 한 것일까?

"제가 딸이 셋이거든요. 그래서 오래전부터 동화책을 읽어주면서 직접 써보고 싶은 바람이 있었어요. 물질적으로 풍요롭게 해줄 수도 없었지만, '이것만큼은 아빠가 직접 해주는 것이 더 가치 있겠다' 싶었죠. 마침 영화 배급일할 때 시나리오를 직접 써본 경험을 살렸죠. 앱북 제작 아이디어도 셋째 딸에게 책을 읽어주는데, 딸이 직접 동화책을 꾹꾹 누르던 데서 착안했죠."

셋째 딸의 호기심 덕분에 앱북 아이템을 얻긴 했지만 그가 다른 일을 제쳐두고 앱북을 개발하기까지의 사연은 곡절이 많다. 지금의 길을 걷기까지 너무 많은 길을 돌아왔기 때문이다. 대학시절 영어를 전공한 그는 입학하자마자 영화에 필이 꽂히게 된다. 하루에도 여러 번 영화관을 들락날락하고 영화제작에 관한 A~Z를 공부하기에 이른다. 이후 그는 단순히 영화 마니아가 아니라 영화로 밥벌이할 생각을 하게 되었다. 그는 졸업하자마자 결혼을 하고 영화의 본고장인 미국으로 유학길에 올랐다. 이때가 2006년이었다. 그는 여기서 〈더 히어로)라는 제목의 3D 실사 독립영화를 제작하기에 이르렀고 마침내 재외동포 영화제 상영작으로 선정되었다. 하지만 영화 한 편으로 돈과 명예를 얻을 수는 없었다. 현실은 냉혹했다. 마침 첫 아이도 태어나면서 현실적으로 영화 제작에 대해 진지하게 고민하게 되었다. 틈틈이 광고제작으로 생계를 대신했지만 이마저도 상황이 여의치 않으면 수입이 마땅치 않았다.

당장 먹고살 일이 급했다. 하고 싶은 일도 일이지만 자신은 가정을 책임지는 가장이었다. 그는 영화를 접었다. 그리고 미국 현지에서 어린이 장난감의 높은 인기를 실감하고는 한국에 돌아와 수입업을 해볼 요량으로 귀국했다. 당시 브랜드명이 바로 옆집아이였다. 앱북 제목이었던 옆집아이가 하마터면 장난감 수입업체 상호가 될 뻔했다. 하지만 우여곡절 끝에 장난감 유통업을 하지 않기로 하자, 그는 시간이 날 때마다 딸을 위해 쓰고 싶었던 동화책을 쓰기 시작했다. 이때 썼던 스토리가 바로 옆집아이의 메인 스토리다. 이후 심보광 CTO를 만나면서 함께 앱북 제작에 나서게 된 것이다.

귀국 후 잠시 몸담았던 영화배급 업무도 옆집아이 제작에 큰 도움이 됐다. 그때 맡았던 어린이 영화제작 업무와 다양한 제작시스템은 성우 섭외와 내레이션, 스튜디오 섭외, 대본, 촬영, 기획 등 앱북 제작에서 또 다른 좋은 경험이었다.

이윽고 늘 아이들에게 유익한 동화책을 쓰고 싶다는 생각과 사업방향이 맞아 떨어지자 나머지 일은 일사천리로 진행됐다. 옆집아이는 이처럼 순수 창작으로 영화 같은 방대한 이야기와 게임과 같은 오락기능을 제공한다. 〈이상한 나라의 앨리스〉와 비슷한 판타지 느낌도 나면서 한국적 분위기도 충분히 자아낸다. 갈수록 떨어지는 이웃과의 감성을 되짚어보자는 취지의 옆집아이라는 이름처럼 말이다.

국내 최고의 일러스트레이터와 영상팀, 작곡가도 참여했다. 인기 성우들도 목소리 출연으로 더욱 완성도를 높인 작품으로 탈바꿈했다. 도깨비 작가로 유명한 한병호가 감수를 맡았으며, 인기 애니메이션인 〈쿵푸팬더〉 주인공 역의 엄상현, 〈코렐라인〉 주인공 역의 조현정이 성우를 맡아 완성도를 높였다. 국내 최고 일러스트레이터 제작팀과 영상팀, 작곡가 등 총망라했다. 이 사람들을 어떻게 초빙했을까? 그는 그저 운이 좋았을 뿐이라고 했지만 자신의 부전공인 영화인맥으로 난관을 뚫은 것이다.

옆집아이는 총 3부작으로 제작될 예정이다. 2012년 현재 출시된 1편은 '함께 사는 삶'을 주제로 삼았다. 사라져가는 이웃에 대한 관심과 용기, 모험이 주제다. 이어 2편과 3편은 환경문제와 질서의식을 각각 담을 계획이다.

옆집아이를 먼저 펼치면 졸졸졸 물 흐르는 소리가 아이들의 청각을 자극한다. 아이가 창밖을 내다보며 늘 불이 꺼져 있는 옆집아이를 궁금해하는 사이 아이들은 호기심이 발동한다. 옆에 있는 강아지에 손을 대면 요리조리 꼬리를 흔들며 '멍멍' 하고 짓는다. 볼거리가 있고 다음 이어질 이야기를 상상한다. 그러면서 부모와 아이가 옆집아이의 기나긴 여행을 함께 따라나선다. 이 이야기는 해외에서도 관심이 크다. 지극히 한국적인 요소에 판타지를 앱북 요소요소에 가미해 '한류 열풍'에 동참하고 있다.

이야기는 여기서 끝나지 않는다. 이 캐릭터를 바탕으로 '옆집아이 율동 동요'를 풀3D 애니메이션으로 제작 중이다. 종이책, 다이어리, 캘린더, 스티커 등 다양한 캐릭터 상품을 전략화할 계획이다. 이 대표는 자극적이지 않은 고급스러운 일러스트와 함께 영어교육 기능 아이들의 정서와 외국어 능력 향상에 좋은 영향을 미칠 것이라며 아이들의 관심을 인위적인 것이 아닌, 자연스러운 물꼬를 틀 수 있도록 연구도 멈추지 않을 것이라고 다짐했다.

꾸준한 앱북 출시가 우선

기존의 앱북들이 콘텐츠를 단순히 스마트 단말기용으로 변환해 출시한 것이라면, 퍼블스튜디오 앱북은 처음부터 스마트 단말기에 특성화된 콘텐츠와 스토리로 개발한 것이 차이점이다. 이 차이는 스토리와 애니메이션, 음악 등 콘텐츠 구현을 위한 모든 기술이 자연스러운 흐름으로 이어질 수 있도록 조화를 이룬다. 생각의 차이가 결과의 차이로 이어지듯, 퍼블스튜디오가 제작한 앱북들은 시장에서 뚜렷한 의견이 나오고 있다는 점도 고무적이다. 사용자 의견은 콘텐츠의 강화를 위해 더 없는 양분이 되기 때문이다.

옆집아이는 한국어판과 영어판으로만 출시되고 있다. 추후 프랑스어판 출시가 예정돼 있다. 이외에도 '옆집아이 퍼즐' '바퀴달린 그림책' '동물원 시리즈' '아바타 동화책' 등 한 달에 한 개 꼴로 출시되고 있다.

독일 프랑크푸르트에서 열린 국제도서전에 참가한 것도 이 대표에게 또 하나의 기회이자 좋은 경험이었다. 퍼블스튜디오가 대만과 독일, 터키 등으로 콘텐츠 수출 계약을 위한 토대를 마련한 것이다. 퍼블스튜디오는 스마트 기반 콘텐츠 개발사 중 국내 최초로 대만의 SOYONG CORPORATION과 콘텐츠 수출에 대한 MOU를 체결했으며, 독일 전자출판사인 Tigerbooks, 터키의 Morpa와도 콘텐츠 계약을 진행했다. 더불어 국내 이북 제작사인 아이이펍과 콘텐츠 공동 개발에 대한 MOU도 체결, 공동 프로젝트에 대한 구체적인 계획도 오가는

중소기업진흥공단 주최로 독일 연수 프로그램에 참여했다. 이 자리를 통해 국내 유망기업과 독일 유망기업이 만나 소통하고 네트워크를 다지는 계기를 마련했다.

등 사업을 본 궤도에 올리기 위해 다방면으로 힘쓰고 있다. 이 대표는 이 도서전을 통해 더 큰 자신감을 얻었다.

전자책에 대한 세계의 관심은 높지만 만족할 만한 전자책을 들고 나오는 업체는 한정된 편이다. 세계적으로 전자책 플랫폼을 아마존의 킨들, 애플의 아이북스, 구글의 구글북스가 장악한 탓도 있지 않을까? 그는 전자책 플랫폼을 선보인 곳은 구글 외에 코보만 찾을 수 있었다고 말했다. 이유는 또 있다. 단순하게 기존 콘텐츠를 스마트 단말기로 변환하는 기술에 그치지 않았던 점도 작용했다. 관련 업체들은 퀵이나 인디자인 등으로 작업한 책을 EPUB 2.0과 3.0으로 변환하는 기술을 선보였다고 했다. 파일을 변환해 아마존과 애플, 코보 등 전자책 플랫폼에 판매를 대행하는 곳도 여럿 있었다. 그는 이날 디지털 콘텐츠를 직접 기획, 제작까지 나서는 곳이 드문 만큼 분명한 경쟁력이 될 것이라고 자신했다.

그가 사업을 확장하고 콘텐츠를 개발할 때 가장 염두에 두는 것을 꼽자면 단연 '인간관계'다. 창업 후 아이디어 회의를 할 때도, 어떤 계약을 맺거나 사업협약을 할 때도, 행사를 치를 때도, 콘텐츠를 내려받는 것도 모두 '사람'과 함께 하기 때문이다. 또 이익을 우선하거나 자신만 생각한다면 주위는 민감하게 반응한다. 이럴 경우 사람 한 명 잃는 것이 아닌 주변에 얽혀 있는 모든 사람까지 잃을 수 있다고 이 대표는 경고한다. 실제 아이디어를 내지 못했던 사람이라도 주변 사람 때문에 기회를 얻는 경우도 우리 주변에서 흔히 봐오지 않았던가? 이러한 연유로 그는 국내 사업계획을 다잡는 대로 2012년 말부터 해외시장을 개척하는 데 중점을 둘 계획이다. 해외 관련 콘텐츠 기업 관련자도 만날 생각이다. 2012년 한 해에만 20개의 앱북을 제작해 시장에 출시할 방침이다. 콘텐츠 분량과 실적 역시 사용자의 저변 확대 차원에서 충분히 경쟁력이 될 수 있다는 판단에서다. 그는 향후 사용자가 어떠한 평가를 내릴지도 고대하고 있다.

앱북? 전자책과 차이가 뭔데?

첫 앱북 옆집아이가 다운로드 900건을 기록하며 3주간 앱스토어 1위를 기록한 후 그에게 퇴짜를 놨던 기업들이 줄줄이 협력 제의나 인수, 합병 제의를 해왔다. 이 대표는 모두 거절했다. 전략적 제휴는 검토할 수 있지만 다른 제안은 당초 사업방향과 맞지 않았기 때문이다. 그들은 다시 투자를 하는 방향으로 선회해 이 대표와 투자 협상을 제안하기도 했다. 앱북이 전자책과 다른 차이점을 이 기회에 업체들에게 어필할 수 있었던 계기가 됐다.

"옆집아이는 단순히 이야기를 읽는 것이 아니라, 감성 하나하나에 신경을 쓴 콘텐츠에요. 강아지를 손가락으로 터치하면 꼬리 흔들림이라든지 짖는 소리, 자동차에 손을 대면 소리 데시벨을 맞춰 정갈하면서도 주위에서 흔히 들을 수 있는 소리를 담았어요. 국내에서 이런 앱북은 처음 시도하던 터였습니다. 아직 전자책과 앱북의 차이를 자세히 모르는 분이 많아요. 둘 사이에 제작 스킬도 판이하게 다릅니다."

앱북과 전자책의 차이를 들자면 앱북은 반응한다는 점이다. 전자책은 말 그대로 인디자인 등으로 작업한 책을 EPUB으로 변환하는 수준이다. 때문에 둘 사이의 구성 레이어도 상이하다.

또 하나의 차이를 꼽자면 전자책과는 달리 앱북은 처음부터 스마트기기를 타깃으로 해야 기술구현이 유리하다는 점이다. 반면 전자책은 기존의 텍스트로 구성된 제작물을 그대로 소스 그대로 옮기는 수준이어서 앱북으로 구성하기 위해서는 다시 하나하나 콘텐츠를 제작해야 한다는 어려움이 있다. 다행히 퍼블스튜디오는 창업자본 1억 원 지원 덕에 이 기술을 상용화함으로써 성공적으로 이륙한 셈이다.

이해원 대표는 여기에 강점을 또 하나 꼽았다. 빠른 시장선점이다. 아직까지 국내 제작 여건상 앱북은 거의 퍼블스튜디오가 최초라고 해도 과언이 아니다. 비용부터 큰 차이를 보인다. 퀄리티에서 다소 차이는 있겠지만 기본적으로 앱북 한 편 제작하는 데 외주비용으로 보통 3천~5천만 원 정도다. 여기에 전문작가나 음향효과, 더빙을 제대로 한다면 금액은 상상 이상으로 뛴다. 반면 이북은 하나 변환하는 데 평균 5~10만 원 정도로 계산된다.

"앱북의 경우에는 아이디어와 구현기술이 중요합니다. 앱북은 콘텐츠

외에도 스마트 단말기로 할 수 있는 게임적인 엔터테인먼트 요소가 필요합니다. 아이디어가 아무리 좋아도 수반되는 기술이 없다면 만들지 못하거든요. 하지만 이북의 경우는 좀 다르겠죠. 저희는 개발사 입장이라서 기술 중심으로 나아가는 것이 맞다고 봅니다. 기술에 투자하지 않으면 이북과 별반 차이가 없어요. 그렇게 되면 저렴한 이북을 보지, 굳이 앱북을 볼 필요가 있을까요?"

그렇다면 한 편 제작하는 데 소요되는 시간은 얼마나 될까? 옆집아이는 아무래도 첫 작품이기 때문에 신경을 많이 썼다. 대략 6개월 정도 걸렸다. 사실 기술적인 부분에서는 그리 시간이 걸리지 않았다. 자료조사와 출판사 검증기간, 그림 그리는 작업에 시간이 소요됐다.

검증된 출판사가 아니라 콘텐츠 제작사에 가까운 퍼블스튜디오에서 앱북을 제작하는 것이 괜찮은 것인지 의문이 들 수 있다. 이 대표는 그런 선입견을 가질 수는 있지만 기존 출판사는 이미 예전부터 교육과 책에 대한 오랜 고민을 거쳐왔을 테고, 여러 면으로 질적인 면이나 전문가 못지않은 견해를 갖고 있을 것이라 말한다. 검수나 검증을 받는 데 시간을 많이 보내는 출판사 덕분에 앱북 콘텐츠 개발사들이 힘들어지지만, 서로 윈윈하는 모델이 곧 등장할 것이라 기대하며 무엇보다 제대로 된 기획을 우선해야 한다고 조언한다.

여느 부모가 갖고 있는 고민

"평소 스마트폰을 갖고 놀던 아이에게 자연관찰 책을 쥐어줬더니 사진을 손가락으로 누르다 이내 던져버리네요."

"우리 아이는 컴퓨터 모니터나 TV 할 것 없이 모두 스마트폰 다루듯 해요."

스마트 기기 대중화로 어느 가정이나 아이와 스마트 기기는 떼려야 떼어놓을 수 없다. 오히려 아동전문가들은 TV나 스마트폰 영상을 볼 때 시간을 정해서 보여주고, 그만 보자고 통제했을 때 잘 따라주면 걱정할 건 없다고 말한다. 이를 무조건 떼어내 생각할 수도 없는 것이 정부가 2007년 디지털 교과서 시행계획을 발표한지라 대부분의 부모와 교사들이 앱북을 디지털 교과서의 연장선상에서 지켜보고 있다. 분명한 건 태블릿 PC와 모바일 디바이스 수요 증가로 전자책 시장이 지속적인 성장세를 띠고 있다는 사실이다. 개인, 혹은 중소 출판사나 기업들이 전자책 시장에 속속 뛰어들고 있는 형국이다. 어떤 교사는 디지털 교과서라고 하지만 결국 교과서를 스캔한 수준이라고 지적하며 전자펜을 사용하고 그림을 확대해볼 수는 있지만 어딘가 모르게 2% 부족하다고 말한다. 그만큼 전자책 시장 역시 걸음마 단계에 지나지 않다. 그렇다고 전자책보다 앱북 시장에 쉽사리 뛰어들지 못하는 것은 성공 전례가 없고, 개발비용이 많이 들기 때문이다.

개인 및 중소업체의 전자책 수요는 날로 늘고 있는 반면, 대부분 일회성에 그치고 있다는 사실은 아쉽다. 더군다나 앱북이나 매거진의 경우 EPUB과 달리 높은 기술력을 요구하는데 이에 대한 시장의 정확한 이해와 질 높은 콘텐츠 다량 확보가 급선무다. 전자책이든 앱북이든 시장에 맞춰 타깃과 방향을 조율하고 개발방법 및 제반사항을 잘 챙겨야 한다. 분명 EPUB 3.0과 아이북스iBooks 2 등 이북 포맷은 날로 진화하고 있으며, 과거 전자책들이 텍스트 중심의 가독성에 무게를 뒀다면, 지금은 각종 멀티미디어 기능의 추가와 레이아웃 설정 등 더욱 세련되고 화려한 콘텐츠로 무장하고 있다. 앱북 시장은 거대한 황금알을 낳는 에듀테인먼트Edutainment 콘텐츠 시장을 예고하고 있다. 교육용 프로그램은 물론 캐릭터 사업과 게임 등 다방면으로 수익창출이 가능하다. 한국콘텐츠진흥원은 2012년 에듀테인먼트 시장을 약 3400억 원 규모로 내다봤다.

그렇다면 전자책의 기능적 진화로 앱북이 영향을 받는 건 아닐까? 앱북과 전자책의 경계가 모호해지고 동시 기술구현이라는 공통된 이슈로 시장에서 서로 경쟁하는 상상은 어떨까. 제작단가 등 비용을 감안했을 때 아무래도 앱북 업체가 불리하지 않을까. 하지만 그는 '앱북과 전자책은 엄연히 다른 장르'라며 선을 그었다.

"전자책 개발 업체들은 출판사로 등록돼 있습니다. 기존 콘텐츠를 디지털로 옮겨왔을 뿐이죠. 다시 말해 이북은 출판사 제작 개념입니다. 반면 저희는 전자출판협회에 등록돼 있지만 엄연히 콘텐츠 개발사고요. 원래는 앱북을 출판물로 규정하지 않았는데, 조금씩 이를 출판물로 인정하고 있습니다. 앱북 개발사는 차라리 게임 개발사에 가까워요. 프로그램 개발과도 관련이 깊죠. 우리처럼 시장 콘텐츠를 정확히 알고 뛰어드는 개발사는 드물어요. 개발사는 개발만 전문으로 하는데, 어떤 프로그램 회사가 콘텐츠로 접근할 수 있겠어요. 이 경계를 명확히 구분하기가 쉽지 않지만, 이 부분을 잘 살려 새로운 가치를 창출할 겁니다."

그가 이렇게 콘텐츠 개발에 자신하는 이유는 또 있다. 옆집아이를 넘는 앱북이 나올 줄 알았지만 아직 나오지 않고 있는 것이다. 이 대표는 대부분 개발사들이 게임 카테고리로 돌아선 것 같다며 그 이유를 분석했다. 게임 개발사 수가 많이 늘어나긴 했다. 상대적으로 앱북 개발사 수가 많이 부족한 터라 대형 출판사의 러브콜이 이어지고 있는 것도 이에 대한 방증이 아닐까?

이 대표는 전자책의 영향을 받는 것은 불가피하겠지만 영역이 달라 직접적인 타격은 없을 것이라고 내다봤다. 그러나 기술개발을 게을리 해서는 안 된다고 강조한다. 이어 앱북이든 게임이든 기술개발을 강화해 참신한 콘텐츠 발굴에 앞장선다는 각오로 나서야 살아남는다고 강조했다.

옆집아이는 아직까지는 태블릿 PC용이 주를 이루지만 곧 스마트폰으로도 발매될 예정이다. 작은 사이즈에 구현이 잘 될지 염려스럽지만 이를 위해 화려한 디자인의 UI는 모두 걷어낼 계획이다. 콘텐츠 집중에 방해되기 때문이다. 이를 최대한 줄이는 것이 스마트폰용 구현 디자인의 핵심이다.

아버지의 마음으로

퍼블스튜디오는 벤처캐피털이나 엔젤투자, 대기업 투자 의뢰도 받고 있지만 그럴수록 속으로는 내실 다지기에 대한 중요성을 되새긴다. 먼저 내부 고객인 직원들의 만족이 최우선일 것이다. 인원이 적든 많든 회사가 모습을 갖춰가고 사업 영역이 확대되면 직원 수도 그만큼 늘려야 하는 건 당연지사다. 대부분 창업자가 주로 고민하는 부분도 역시 '채용'이다. 우수한 인재를 채용하는 안목도 중요하지만 그들이 오래도록 남아 일할 수 있는 근무여건을 다져야 한다. 사업에 따라서 큰 건이 하나 들어올 경우 전적으로 그 사람의 인사이트와 경력, 안목에 기댈 수밖에 없다. 그러기 위해 필요한 것이 인건비다.

"대부분 스타트업의 경우 외주든 SI든 하게 되는데 어찌됐든 사람을 채용하기 위해서는 기본적으로 자금이 필요합니다. 저도 처음에는 간단히 생각했는데 만만치 않았던 일이었죠. 흔히 대학생들이 의기투합하는 형식으로 처음 사업을 시작하겠지만 사업이 진행될수록 곱씹게 됩니다. 생활이 어우러져야 하니까요. 언제까지 돈도 없이 지낼 순 없잖아요. 안 주고 뽑을 수도 없으니까요. 자금에 대한 고민만큼은 전적으로 대표자의 몫입니다. 직원들은 고객이 만족할 수 있는 제품제작에 집중해야 하고요. 대표님들 만나보면 대부분 그런 고민을 많이 하시더라고요. 또 있어요. 제 미숙함이 원인이었죠. 근무방식이나 채용에 대한 시행착오가 많았어요. 초기 실력 있는 디자이너가 두 분 계셨는데 모두 떠났어요. 디자이너라는 업무의 특성을 제가 잘 이해하지 못했거든요. 함께 의기투합만 잘 하면 되는 줄 알았어요. 그래서 경영이라는 것은 그 규모에 상관없이 늘 공부하고 배워야 한다고 봐요."

그의 한마디 한마디는 모두 경험에서 우러나왔다. 그는 앱북 시장의 기회요소와 위험요소에 대해서도 소신 있게 피력했다. 분명 새로운 시장이 열렸고 크리에이티브에 제한이 없듯, 막연히 개수만으로 포화상태라고 하는 건 무리가 있다고 지적한다.

하지만 아이디어 하나만으로 승부하기에는 무리수가 따른다면서도 누군가가 '새로운 아이디어는 없다. 이미 나온 아이디어를 재가공할 뿐'이라고 말한 것처럼 사업을 잘 준비해 틈새시장을 잘 공략할 필요가 있다. 시장이 크면 분명 대기업도 뛰어들거나 어떤 액션이 있을 것이다. 퍼블스튜디오의 경우는 앱북 초기 시장 공략이 성공적으로 이뤄진 셈이다. 고객의 반응도 좋은 편이다. 유료 다운로드 수가 날로 늘고 있다. 유료 앱에 다소 인색했던 국내 사용자들의 성향이 점차 바뀌는 데이터 분석도 이를 뒷받침한다.

2012년 4월 팟게이트의 보도자료에서는 "게임, 교육, 유틸리티 등 다양한 분야의 실속 있는 유료 앱 부상으로 앱 시장 변화의 조짐이 보인다"라고 분석했다. 그 방증으로 한 주 동안 인기 앱 10위 안에 유료 앱이 무려 5개나 포진된 사실을 알려왔다. 또 팟게이트 측은 "충실한 기능과 다양한 콘텐츠를 앞세운 유료 앱이라면 가격에 구애받지 않고 선택하려는 사용자의 변화를 읽을 수 있는 대목"이라고 밝힌 바 있다. 특히 스마트폰과 교육의 결합으로 그 시장은 더욱 커질 것이라고 분석했다. 유료 앱이 인기 순위 절반을 차지한 사례에서 볼 수 있듯 사용자는 점차 가격보다는 퀄리티를 중요시하는 시대로 접어들고 있는 것이다.

이러한 보도 이전에도 이 대표는 처음부터 콘텐츠를 무료로 출시할 계획이 없었다. 무조건 유료 기반이고, 무료로 보여줄 때는 최대한 라이트하게 보여준다. 기존의 교육에 관한 다른 무료버전들이 생각 이상 좋은 퀄리티로 출시되다 보니 우려스럽긴 하지만, 처음에는 어렵더라도 유료 시장을 지켜 회사 이미지와 가치를 최대한 세우고자 했다. 고급 개발사로서의 이미지를 구축하려는 것이다. 그래서 돈을 따라가는 것이 아닌, 브랜드 아이덴티티와 가치를 리드하려 한다. 그 가치의 자산을 제대로 평가받고 싶은 욕심이 앞서기 때문이다.

이 대표는 시장 틈 사이에서 맞서 싸워야 할지, 협업해야 할지를 잘 판단할 것을 강조한다. 그는 일단 시장 공략에서 대기업과는 대형 출판사에 대해서는 협업하는 쪽으로 가닥을 잡았다. 퍼블스튜디오는 2012년 초 식품전문그룹 SPC와 제휴를 맺었다. 먼저 SPC네트웍스와 명작동화를 재해석한 인터랙티브 앱북을 제작하는 내용의 계약을 맺고 iOS 기반의 '해피주니어Happy Junior' 앱을 출시했다. 해피주니어는 명작동화를 창의적으로 재해석해 아이들이 다채롭게 사고하고, 사물 판단의 유연성과 상황 판단력을 키우는 데 중점을 둔 콘텐츠다. 이 대표는 유아, 아동기 발달 및 자아 형성에 도움을 주고자 첫 번째 작품인 '헨젤과 그레텔'을 시작으로 다양한 명작동화 주제로 시리즈를 만들 예정이다. 시작이지만 무엇보다 이 앱북을 기점으로 아이들의 감성과 지능발달에 도움을 줄 수 있는 언어학습과 듣기능력 향상을 통한 다양한 언어(한국어, 영어, 중국어, 일본어 등) 서비스를 통해 글로벌 공략에도 박차를 가할 계획이다.

또한 SPC그룹 계열사 프랜차이즈 브랜드인 파리바게트, 던킨도너 츠, 배스킨라빈스31 등 매장에 해피주니어 앱북을 서비스 동영상으로 구현, 관련 매장 소비자에게 서비스해 좋은 반응을 불러일으키고 있 다. 영수증에 QR 코드를 넣어 스마트 단말기로 앱북을 손쉽게 내려받 을 수 있도록 했다. 이 대표는 SPC그룹과의 전략적 제휴를 통해 양사 모두 기대 이상의 효과를 거둘 수 있도록 더욱 전념할 계획이다.

SPC그룹 입장에서는 고객에게 양질의 콘텐츠를 다양하게 서비스 하고 더불어 다양한 이벤트를 통해 소비자와의 접점을 찾을 수 있었 고, 퍼블스튜디오는 시장을 키우고 선점하기 위한 루트가 절대적으로 필요한 상황이었다. 서로의 이해관계가 잘 맞아떨어진 셈이다.

"전자책 기술과 다양한 앱북 제작 노하우를 가진 개발사로서, SPC네트 웍스와 함께 '해피주니어' 시리즈를 차별화된 고급스러운 브랜드로 국 내외 앱북 시장에 안착시킬 생각입니다. 물론 다양한 교육용 콘텐츠 사업까지 영역을 확장해 발전시킬 계획입니다."

향후 퍼블스튜디오는 앱북과 게임 등의 콘텐츠를 계속 생산함과 동시에 물리엔진 기반 앱북과 교육 앱, 게임을 누구나 쉽게 만들 수 있는 통합 솔루션을 준비하고 있다. 이 대표는 앞으로 콘텐츠와 솔루션을 동시에 보유하여 기업 가치를 높이고 게임 회사, 출판사 등과 연계해 국내 콘텐츠 시장을 선점하는 데 총력을 기울일 예정이다.

이 대표는 2012년 콘텐츠 확장을 위해 차츰 SI 업무를 줄여 앱북 콘텐츠가 쌓이고 스스로 제작에 집중할 수 있는 궤도에 오르면 SI 업무를 모두 없앨 생각이다. SI 업무에 집중하다 보면 회사가 어떻게 되는지 이전에 충분히 경험했기 때문이다. 처음에는 돈을 많이 버는 것 같지만 정작 굳게 자리 잡아야 할 기업의 가치는 하락세를 면치 못 하는 것이 대부분이다.

그는 기업 가치를 높이고 시장 인사이트와 인맥관리를 위해 관련 모임도 빼놓지 않고 챙기는 편이다. 그가 브이포럼V Forum과 고벤처 포럼을 통해 젊은 창업인들과 벤처투자자와 소통하는 것도 같은 이유다. 그는 2012년 현재 브이포럼 운영자로서도 활동하고 있다. 초기 벤처기업에게 필요한 정보와 인맥, 자금, 멘토링에 대한 구체적인 정보 습득은 물론 같은 길을 걷는 후배들에게 조금이나마 도움을 주기 위함이다. 이 때문에 이틀에 한 번꼴로 모임이 있어 더욱 분주하기만 하다.

바쁜 일상이지만, 그는 꿈과 희망을 늘 품고 있기에 전혀 고단하지 않다. 수학의 노벨상이라 부르는 필드상을 수상한 일본의 히로나카 헤이스케는 저서 『학문의 즐거움』에서 자신이 늘 고이 간직하고 사는 꿈에 대해 정의했다. 헤이스케는 이 책에서 "꿈이란 그것의 실현 여부를 떠나 늘 간직하고 있으면 그것만으로도 은연중에 이루려고 하는 힘이 생기거나 그 사실만으로도 삶이 가치 있다"라고 정의하고 있다.

이해원 대표가 사명社名을 퍼블스튜디오로 지은 것도 분명한 이유가 있다. 퍼블스튜디오는 '공공의'라는 뜻을 가진 단어 'Public', '출판하다'라는 뜻의 'Publish'의 앞글자인 'Publ~'과 'Studio'의 합성어다. 출판의 개념과 공공의 이익이라는 교집합을 통해 아직 사회적 기업은 아니지만 공공의 이익을 대변하고자 하는 이 대표의 취지를 반영했다. 실제로 2012년 3월에 출시한 '바퀴달린 그림책'은 이러한 의지를 반영해 수입 일부를 구호단체에 기부하고 있다. 또 그림을 그린 어린이들에게 저작권료로 일부를 지급한다.

늘 '인간관계'를 중요시하며 '사람을 통해' '사람과 함께' '사람 안에서'라는 믿음과 함께 하고자 한다. 전경일의 『아버지의 마음을 아는 사람은 결코 포기하지 않는다』을 보면 이런 구절이 나온다. "한 번도 넘어지지 않고 정상까지 간 사람은 아무도 없다. 우리는 넘어져 봤으니 아는 게 있지 않은가. 그것만으로도 대단한 재산이 된다." 딸을 위한 아버지의 마음으로 만든 콘텐츠이기에, 그의 바람은 콘텐츠에 절로 녹아들기에 충분하다.

"젊은이들에게 가장 큰 밑천은 바로 '젊음'인 것 같습니다."

에필로그

틈틈이 원고를 정리하고 출판사에 메일 발송 버튼을 클릭함과 동시에 머릿속에는 많은 생각과 얼굴들이 교차했다. 여섯 명의 대표들과 마주했을 때, 어느 한 사람도 며칠 전부터 인터뷰를 의식한 말투나 복장이 아니었다. 일하던 복장 그대로 중간에 바삐 뛰어나와 필자와 대화를 나눴다. 그들이 앞에서 거칠게 내뱉던 숨소리, 아니 숨 고르기는 차마 범접할 수 없었던 자신의 열정과 꿈을 향해 쉼 없이 뛰고 있다는 방증이었다.

하지만 냉정해질 수밖에 없었다. 이들에게 대략 인터뷰의 취지나 담화 내용에 대해서는 절차상 알려주긴 했지만, 구체적인 질의서를 미리 보내서 준비할 수 있는 여유 자체를 주지 않았다. 사전에 편집하지 않은 생생한 목소리를 담기 위함이었다. 다만 독자들에게 이들에게서 녹취한 현장의 목소리를 들려주지 못한 것이 참으로 아쉬울 따름이다. '보이는 라디오'처럼 들을 수 있는 책을 선보일 수 있다면 얼마나 좋을까, 하는 생각도 마침 해본다.

누구나 입사하지 못해 안달인 대기업을 박차고 나왔을 때, 잘나가는 포털과 기업에서 퇴직했을 때, 대학 졸업 후 바로 창업했을 때 이들은 과연 어떤 심정이었고, 어떤 미래를 본 것일까? 가족의 반대에는 어떤 논리로 설득했을까? 어떤 확신 때문에 기득권을 포기하고 도전을 선택한 것일까? 또 나라면 과연 어떤 선택을 했을까?

이들은 이야기를 나누는 동안에도 "말한 그대로를 지면으로 옮겨 달라"라고 당부할 정도로 솔직하면서 포부가 있었다. "제 후배가 이 책을 읽는다면 이런 이야기를 꼭 해주고 싶습니다"라고 깊이를 더해 갈 때, 그들의 말 토씨 하나라도 제대로 전달하고 싶어서 어쩌면 독자와 통하는 글이 아닌, 토하는 글을 썼는지도 모르겠다. 한 가지 확신할 수 있는 것은 필자만의 '옹알이'가 아니라는 확신이다.

여섯 명의 창업자들은 현실과 타협하지 않는 대신 인생에 모험을 걸었고, 자신의 미래를 개척했다. 그리고 아직 '현재진행형'이다.

본서에 담은 현재가 끝은 아니다. 결과는 끝을 가봐야 알 수 있다. 『10미터만 더 뛰어봐』의 김영식 저자의 말처럼 100미터 뛰는 사람에게 200미터를 더 뛰라고 하면 웬만한 사람은 포기할 것이다. 하지만 10미터만 더 뛰라고 하면 젖 먹던 힘까지 쏟아내 얼마든지 뛸 수 있다.

누구나 성공의 좌표와 기준, 선택은 다르다. 저마다 다른 인생을 살고 있고 꿈이 다르기 때문이다. 그래서 세상은 알록달록하다. 그 알록달록함에 자신의 색을 더 입힐 수 있다면 더욱 아름다운 세상이 되지 않을까?

점점 스타트업을 발굴, 육성하는 프로그램이나 벤처캐피털 투자 기회도 더욱 넓어진다. 아이디어와 인재를 잘 갖췄다면 엔젤투자(개인투자)도 가능하다. 성공하는 스타트업의 경우 커다란 수익도 동반한다. 그래서 매력 있다. 하지만 이것은 현실을 따져볼 때 그리 쉽지만은 않다. 생각보다 더 어려운 고통이 수반될 수 있다. 그래서 자신감이 가장 필요한 때이기도 하다.

솔루션보다 니즈, 니즈보다 원츠를 찾아내야 한다. 그리고 실전에 직접 부딪치며 경험하고 성장해야 하는 것이 본서의 여섯 명이 전하는 메시지다. 아울러 늘 초심을 잊지 말고 사용자와 교류하라는 것도 당부하고 있다.

혹자는 젊은이들에게 무조건 창업바람을 불어넣지 말라고 한다. 맞는 말이고 충분히 공감한다. 하지만 그들 중 한 사람이라도 자신의 능력을 표출하고 세상을 바꿀 아이디어가 있다면, 또 그 길을 걷길 원한다면 이를 꽃피울 건강한 디지털 생태계를 조성하는 것도 먼저 이 길을 밟아본 선배들이 챙겨줄 몫이 아닌가 싶다. 분명한 것은 예전 닷컴버블 때와는 달리 지금은 창업의 A, B, C를 직접 경험해볼 기회도 많고, 선배들의 진심 어린 조언을 들을 기회가 많다는 점이다. 어느 한 쪽이 정답은 아니지만, 한 번뿐인 인생에서 그들이 어떤 선택을 하든 올바른 길을 걷게 하고, 성공할 수 있도록 관심을 둘 필요가 있지 않을까? 독자 여러분의 성공 키워드를 믿는다.

끝으로 이 책을 통해 세상에 메시지를 전할 수 있는 기회를 마련해준 e비즈북스 관계자 여러분과 늘 성장할 수 있도록 기회를 주신 월간 웹 류호현 발행인께 감사드린다. 또 어머니와 장모님, 아내 문희, 그리고 딸 은진에게도 사랑한다는 말을 전한다.

마지막으로 독자 여러분 모두의 행운과 인생의 성공을 빈다.

2012년 6월
김관식

앱 스토리
벤처캐피털이 먼저 찾는 스타앱 CEO 6인에게 듣는다

초판 1쇄 발행 | 2012년 7월 12일

지 은 이 | 김관식
펴 낸 이 | 이은성
펴 낸 곳 | *e*비즈북스
편   집 | 이상복
디 자 인 | 백지선

주   소 | 서울시 동작구 상도 2동 184-21 2층
전   화 | (02) 883-3495
팩   스 | (02) 883-3496
이 메 일 | ebizbooks@hanmail.net
등록번호 | 제 379-2006-000010호

ISBN 978-89-92168-97-7 03320

*e*비즈북스는 푸른커뮤니케이션의 출판브랜드입니다.